IQ WORKOUT

WORDSEARCH

with over 170 puzzles

ARCTURUS

ARCTURUS

This edition published in 2011 by Arcturus Publishing Limited
26/27 Bickels Yard, 151–153 Bermondsey Street,
London SE1 3HA

ISBN: 978-1-84837-651-9
AD001431EN

Printed in China

CONTENTS

HOW TO SOLVE A WORDSEARCH PUZZLE 5

PUZZLES 6

SOLUTIONS 180

HOW TO SOLVE A WORDSEARCH PUZZLE

Wordsearch puzzles can be great fun and solving them requires a keen eye for detail…!

Each puzzle consists of a grid of letters and a list of words, all of which are hidden somewhere in the grid. Your task is to ring each word as you find it, then tick it off the list, continuing until every word has been found.

Some of the letters in the grid are used more than once and the words can run in either a forwards or backwards direction; vertically, horizontally or diagonally, as shown in this example of a finished puzzle:

```
Z P K X K E I H E D
G R A B B I T L R L
E O O N O Y L X E M
D F X A T E Z O N L
R B F M Z H P S V A
L E M A C A E T N Z
C S G O R K U R Y T
M R M D R I C I I V
W O M B A T G C H J
Z H H B D B E H A I
```

BADGER ✓	LEOPARD ✓
CAMEL ✓	OSTRICH ✓
GAZELLE ✓	PANTHER ✓
GIRAFFE ✓	RABBIT ✓
HORSE ✓	WOMBAT ✓

GREETINGS!

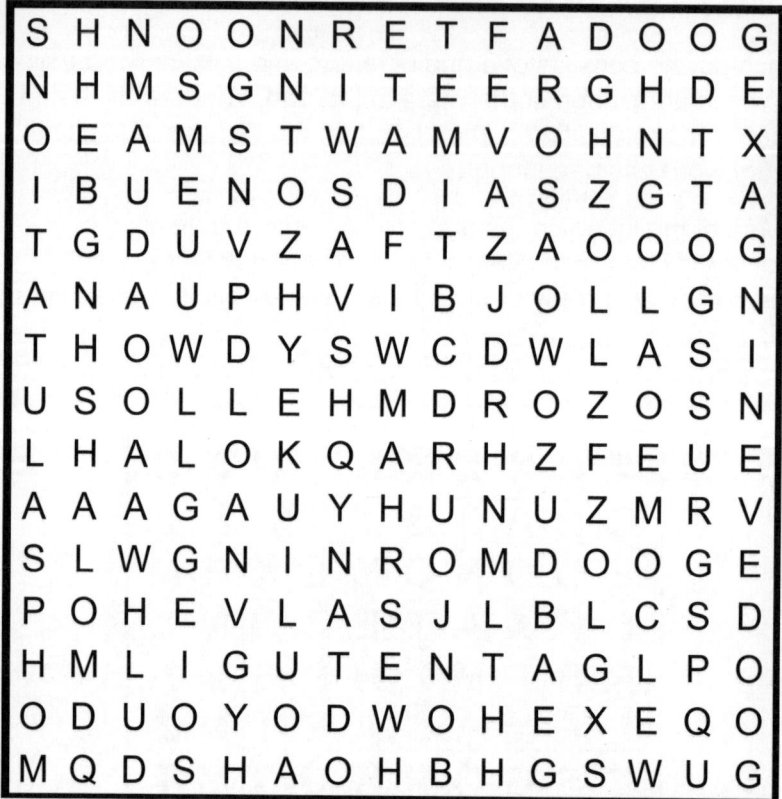

```
S H N O O N R E T F A D O O G
N H M S G N I T E E R G H D E
O E A M S T W A M V O H N T X
I B U E N O S D I A S Z G T A
T G D U V Z A F T Z A O O O G
A N A U P H V I B J O L L G N
T H O W D Y S W C D W L A S I
U S O L L E H M D R O Z O S N
L H A L O K Q A R H Z F E U E
A A A G A U Y H U N U Z M R V
S L W G N I N R O M D O O G E
P O H E V L A S J L B L C S D
H M L I G U T E N T A G L P O
O D U O Y O D W O H E X E Q O
M Q D S H A O H B H G S W U G
```

ALOHA

BONJOUR

BUENOS DIAS

CIAO

GOOD
    AFTERNOON

GOOD DAY

GOOD EVENING

GOOD MORNING

GREETINGS

GRUSS GOTT

GUTEN TAG

HELLO

HI-YA

HOLA

HOLLOA

HOW-DO-YOU-
    DO

HOWDY

HOW GOES IT

SALAAM

SALUTATIONS

SALVE

SHALOM

S'MAE

WELCOME

ANCIENT EGYPT

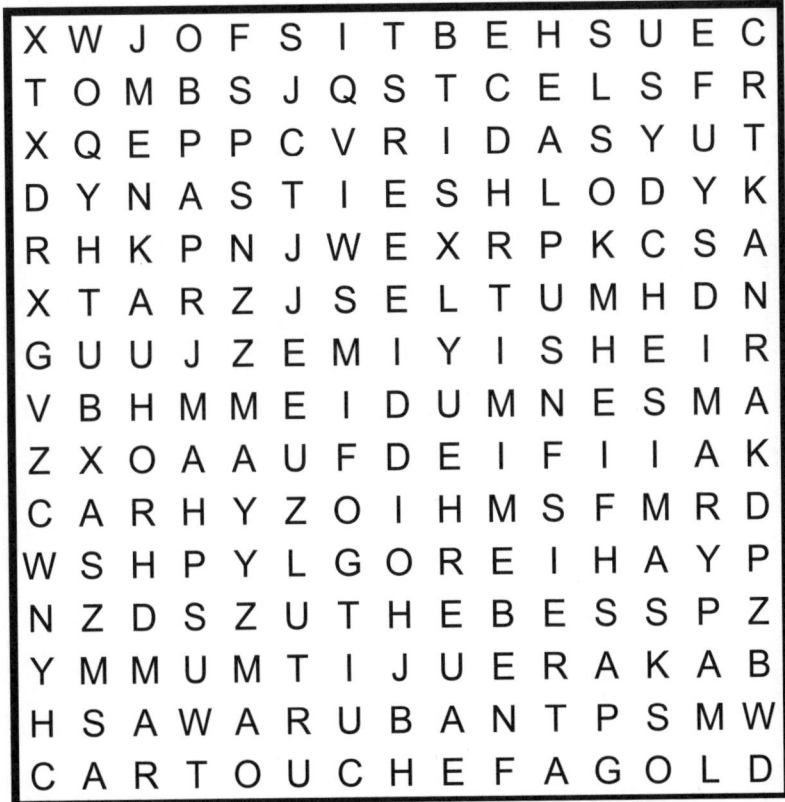

```
X W J O F S I T B E H S U E C
T O M B S J Q S T C E L S F R
X Q E P P C V R I D A S Y U T
D Y N A S T I E S H L O D Y K
R H K P N J W E X R P K C S A
X T A R Z J S E L T U M H D N
G U U J Z E M I Y I S H E I R
V B H M M E I D U M N E S M A
Z X O A A U F D E I F I I A K
C A R H Y Z O I H M S F M R D
W S H P Y L G O R E I H A Y P
N Z D S Z U T H E B E S S P Z
Y M M U M T I J U E R A K A B
H S A W A R U B A N T P S M W
C A R T O U C H E F A G O L D
```

ABU RAWASH	HIEROGLYPHS	MUMMY
ASYUT	ISIS	NILE
BAKARE	KARNAK	PRIEST
CARTOUCHE	MASKS	PYRAMIDS
DASHUR	MAZGHUNA	RAMESES
DYNASTIES	MEIDUM	THEBES
EDFU	MEMPHIS	TOMBS
GOLD	MENKAUHOR	USHEBTI

CAMPING HOLIDAY

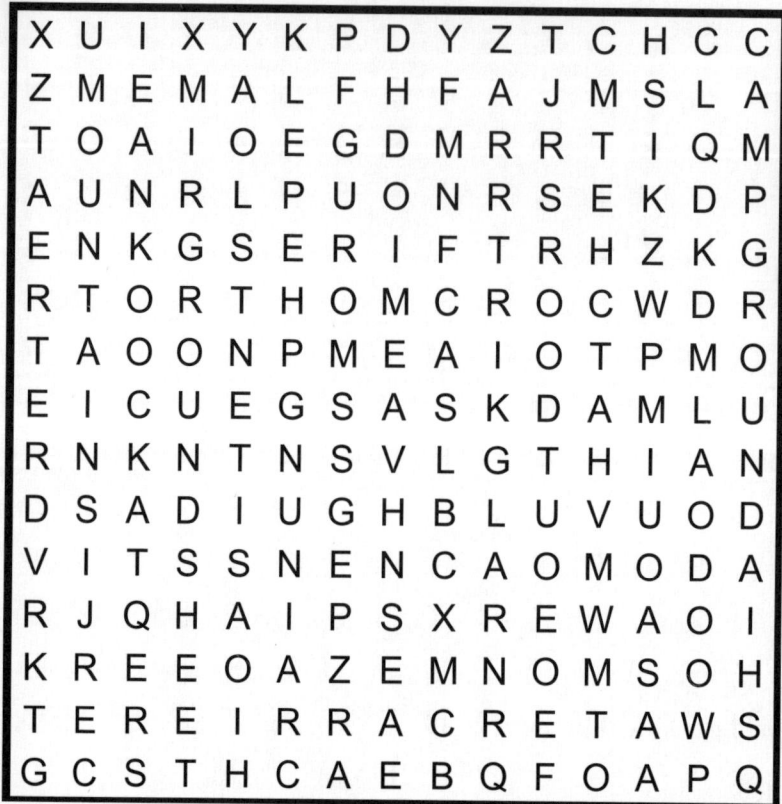

```
X U I X Y K P D Y Z T C H C C
Z M E M A L F H F A J M S L A
T O A I O E G D M R R T I Q M
A U N R L P U O N R S E K D P
E N K G S E R I F T R H Z K G
R T O R T H O M C R O C W D R
T A O O N P M E A I O T P M O
E I C U E G S A S K D A M L U
R N K N T N S V L G T H I A N
D S A D I U G H B L U V U O D
V I T S S N E N C A O M O D A
R J Q H A I P S X R E W A O I
K R E E O A Z E M N O M S O H
T E R E I R R A C R E T A W S
G C S T H C A E B Q F O A P Q
```

AXE	INSECTS	RAIN
BEACH	MARSHMALLOWS	RETREAT
CAMPGROUND	MAT	RUG
COOK	MOUNTAINS	SITE
FIRE	MUGS	TENT
FLAME	OPEN AIR	TORCH
GROUNDSHEET	OUTDOORS	WATER CARRIER
HATCHET	PEGS	WOOD

INTELLIGENCE TEST

4

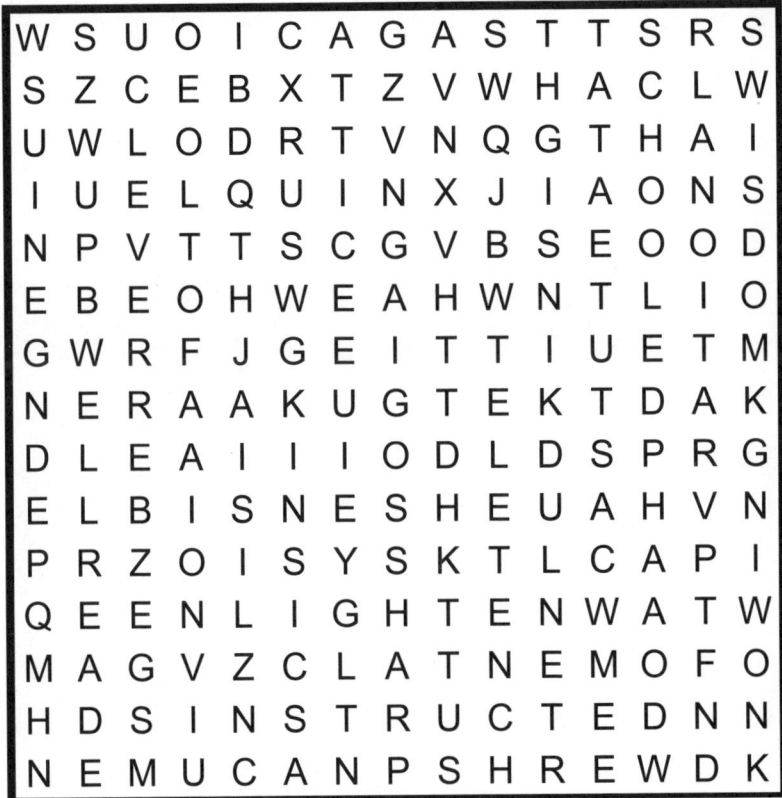

```
W S U O I C A G A S T T S R S
S Z C E B X T Z V W H A C L W
U W L O D R T V N Q G T H A I
I U E L Q U I N X J I A O N S
N P V T T S C G V B S E O O D
E B E O H W E A H W N T L I O
G W R F J G E I T T I U E T M
N E R A A K U G T E K T D A K
D L E A I I I O D L D S P R G
E L B I S N E S H E U A H V N
P R Z O I S Y S K T L C A P I
Q E E N L I G H T E N W A T W
M A G V Z C L A T N E M O F O
H D S I N S T R U C T E D N N
N E M U C A N P S H R E W D K
```

ACUMEN	GENIUS	SCHOOLED
ASTUTE	INSIGHT	SENSIBLE
BRAINY	INSTRUCTED	SHARP
BRIGHT	KNOWING	SHREWD
CLEVER	KNOWLEDGE	THOUGHT
EDUCATED	MENTAL	TUTORED
ENLIGHTEN	RATIONAL	WELL-READ
FACULTIES	SAGACIOUS	WISDOM

FICTIONAL TOWNS AND CITIES

```
U T L Y T I C D L A R E M E X
B E D R O C K A W I L H L B T
E M M E R D A L E D F A Q A S
Y K G G H T O G O R D U D R P
E I D Q Y K Z R X Y S C N C R
S T O A B T A J N I Y F W H I
A E Z W E D K N X M Z A O E N
V Z J T O M U R R A D T T S G
N H G X Q S Y I A B N L R T F
O Q U I R M L R V P T A E E I
T H T N I A L R A P H N D R E
S Q C H C I W D I M K T N U L
Y S T E P F O R D L T I U S D
O E M L A F L N O T E S U O M
R Y K E A S T W I C K V K U S
```

ATLANTIS	FALME	SOUTH PARK
BARCHESTER	KITEZH	SPRINGFIELD
BEDROCK	KLOW	STEPFORD
CYMRIL	MIDWICH	ST MARY MEAD
EASTWICK	MOUSETON	SUNNYDALE
EL DORADO	PARLAINTH	UDROGOTH
EMERALD CITY	QUIRM	UNDERTOWN
EMMERDALE	ROYSTON VASEY	XANADU

ORIENTEERING

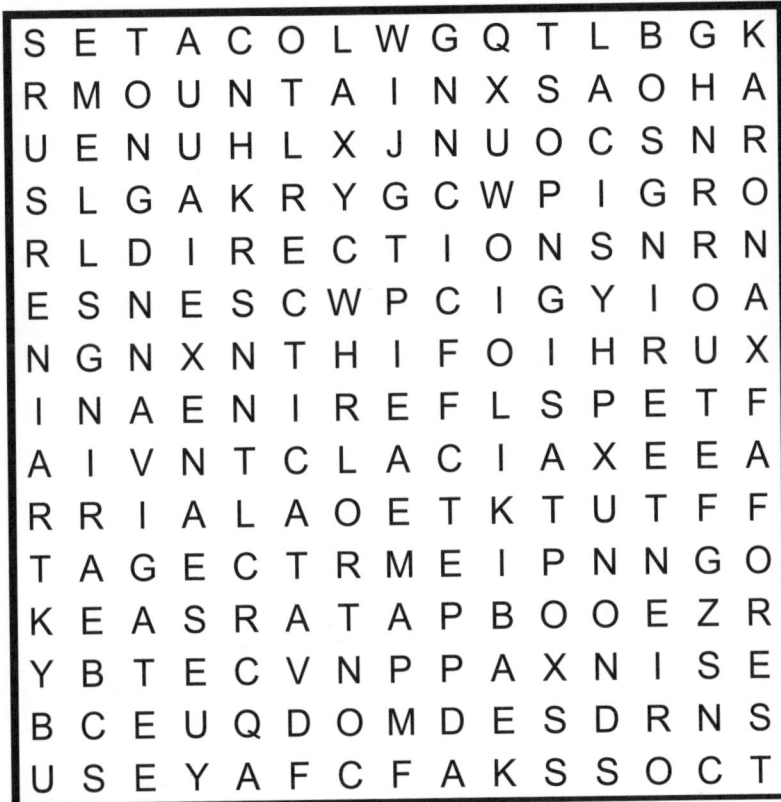

```
S E T A C O L W G Q T L B G K
R M O U N T A I N X S A O H A
U E N U H L X J N U O C S N R
S L G A K R Y G C W P I G R O
R L D I R E C T I O N S N R N
E S N E S C W P C I G Y I O A
N G N X N T H I F O I H R U X
I N A E N I R E F L S P E T F
A I V N T C L A C I A X E E A
R R I A L A O E T K T U T F F
T A G E C T R M E I P N N G O
K E A S R A T A P B O O E Z R
Y B T E C V N P P A X N I S E
B C E U Q D O M D E S D R N S
U S E Y A F C F A K S S O C T
```

ANORAK	FINISH	REGISTRATION
BEARINGS	FITNESS	ROUTE
BEELINE	FOREST	SCALE
CHECKPOINT	LOCATE	SEPARATE
CIRCLE	MOUNTAIN	SIGNPOST
COMPASS	NAVIGATE	TRAINERS
CONTROL	ORIENTEERING	TREES
DIRECTIONS	PHYSICAL	WALKING

MEDICAL PRACTICE

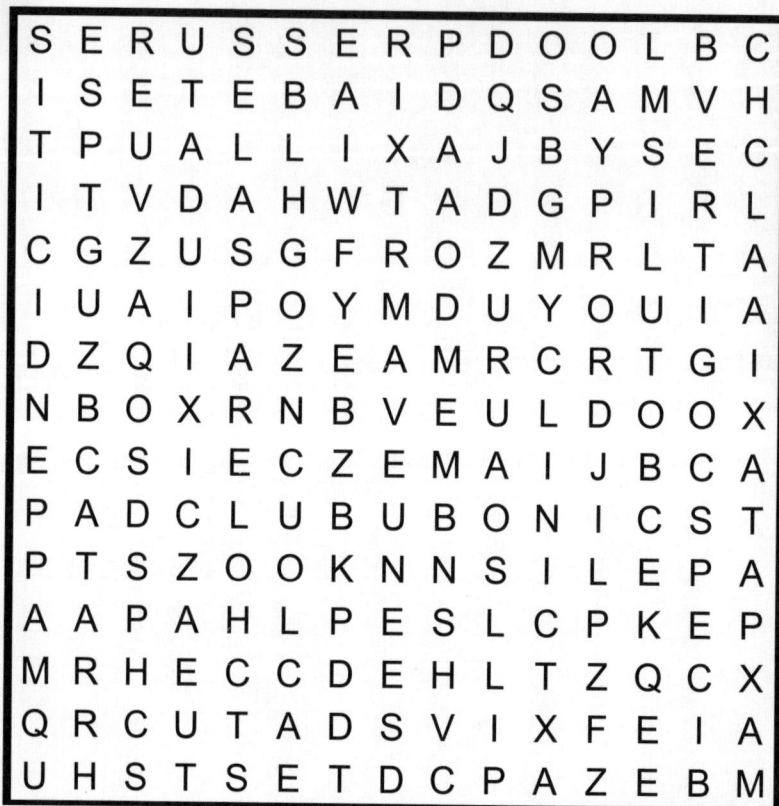

```
S E R U S S E R P D O O L B C
I S E T E B A I D Q S A M V H
T P U A L L I X A J B Y S E C
I T V D A H W T A D G P I R L
C G Z U S G F R O Z M R L T A
I U A I P O Y M D U Y O U I A
D Z Q I A Z E A M R C R T G I
N B O X R N B V E U L D O O X
E C S I E C Z E M A I J B C A
P A D C L U B U B O N I C S T
P T S Z O O K N N S I L E P A
A A P A H L P E S L C P K E P
M R H E C C D E H L T Z Q C X
Q R C U T A D S V I X F E I A
U H S T S E T D C P A Z E B M
```

ABDOMEN	BOTULISM	ECZEMA
ADENOID	BUBONIC	LOCUM
APPENDICITIS	CATARRH	MUMPS
ASEPTIC	CHOLERA	MYOPIA
ATAXIA	CLINIC	PILLS
AXILLA	COLDS	POLIO
BICEPS	CORYZA	TESTS
BLOOD PRESSURE	DIABETES	VERTIGO

FURNITURE ARRANGEMENT

```
U O P Y N F C M I N Q L J U A
Q S D K K A T K C U O Y H A B
W D F I B N D P D O A J H E D
R F E I V A H K T B F P R R R
S T N C H A I S E L O N G U E
D E S K S C R E E N S C A B S
T D E K H U C U C R M O S O S
R O V E N K O L E K H M F O I
O D S Y T N O D O C B M I K N
M T H C A T R S U C V O R C G
I Y T I A A E O J L K D E A T
R V P O L R C S H O Z E E S A
R I F I M W P Z H S Z W R E B
O R E V R A C E B E B C B M L
R K W H A T N O T T L D W W E
```

BOOKCASE	CLOSET	OTTOMAN
BUREAU	COMMODE	OVEN
CABINET	COUCH	PIANO
CARPET	DESK	SCREEN
CARVER	DRESSING-TABLE	SETTEE
CHAISE LONGUE	GAS FIRE	SOFA
CHEST	LARDER	STOOL
CLOCK	MIRROR	WHATNOT

HELP!

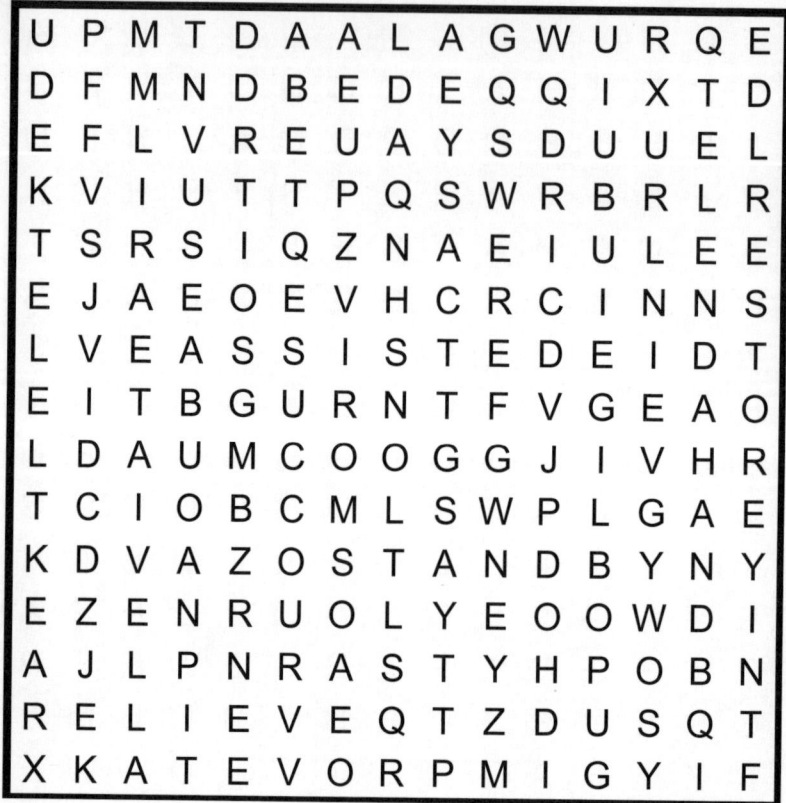

```
U P M T D A A L A G W U R Q E
D F M N D B E D E Q Q I X T D
E F L V R E U A Y S D U U E L
K V I U T T P Q S W R B R L R
T S R S I Q Z N A E I U L E E
E J A E O E V H C R C I N N S
L V E A S S I S T E D E I D T
E I T B G U R N T F V G E A O
L D A U M C O O G G J I V H R
T C I O B C M L S W P L G A E
K D V A Z O S T A N D B Y N Y
E Z E N R U O L Y E O O W D I
A J L P N R A S T Y H P O B N
R E L I E V E Q T Z D U S Q T
X K A T E V O R P M I G Y I F
```

ABET	CURE	PROMOTE
ADVISE	EASE	RELIEVE
AID	GUIDE	RESTORE
ALLEVIATE	HEAL	SAVE
ASSIST	IMPROVE	SERVE
BACK	LEND A HAND	SPONSOR
BOOST	NURSE	STAND BY
CONTRIBUTE	OBLIGE	SUCCOUR

LOOSE COINS

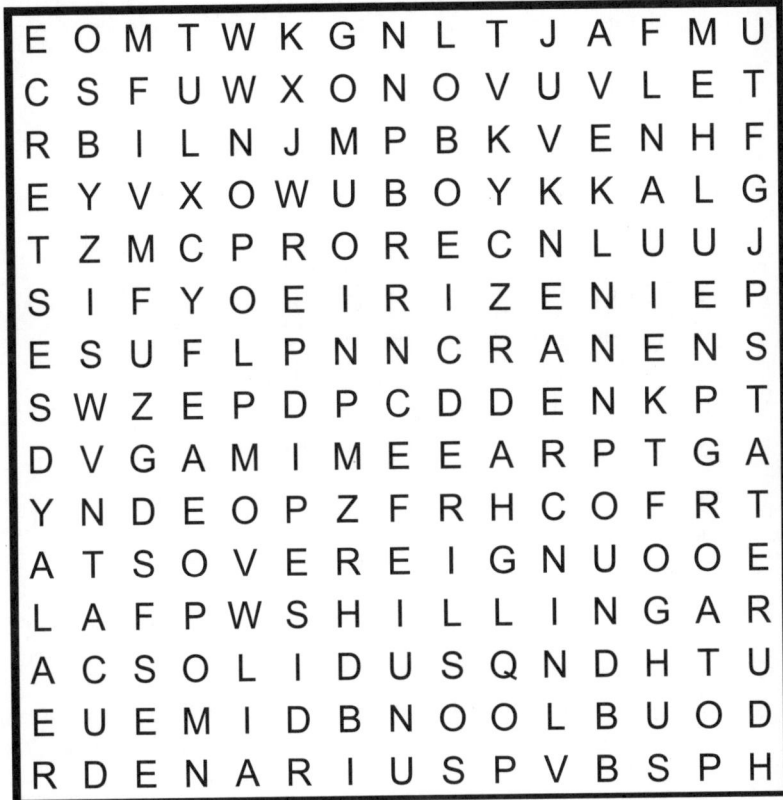

```
E O M T W K G N L T J A F M U
C S F U W X O N O V U V L E T
R B I L N J M P B K V E N H F
E Y V X O W U B O Y K K A L G
T Z M C P R O R E C N L U U J
S I F Y O E I R I Z E N I E P
E S U F L P N N C R A N E N S
S W Z E P D P C D D E N K P T
D V G A M I M E E A R P T G A
Y N D E O P Z F R H C O F R T
A T S O V E R E I G N U O O E
L A F P W S H I L L I N G A R
A C S O L I D U S Q N D H T U
E U E M I D B N O O L B U O D
R D E N A R I U S P V B S P H
```

ANGEL	FLORIN	SESTERCE
BEZANT	GROAT	SHILLING
COPPER	GUINEA	SIXPENCE
CROWN	NICKEL	SOLIDUS
DENARIUS	OBOL	SOU
DIME	PENNY	SOVEREIGN
DOUBLOON	POUND	STATER
DUCAT	REAL	THALER

'ARM' FIRST

```
D P D T V G A M H S A A D D A
E S N P Y N R D G G S R J R R
A V A V R I M U D Q N M M N I
A R B A R M A T U R E A S Y A
J E M X J R D A I P L G A R R
A R R H R A A R R I D N R H M
I U A T O I R T T M L A M P A
N O A A I L A E E S O C O F M
E M Z R R P E H G M M U U T E
M R S G M M M C C I R Y R K N
R A V M N E I R G M M A Y E T
A U Y Z R T D L A S R R U L D
H M A R M A D I L L O A A J D
A R M I S T I C E A R M F U L
V I L N O D D E G A M R A X F
```

ARMADA	ARMCHAIR	ARMING
ARMADILLO	ARMED	ARMISTICE
ARMAGEDDON	ARMENIA	ARMOURED
ARMAGNAC	ARMET	ARMOURER
ARMALITE	ARMFUL	ARMOURY
ARMAMENT	ARMHOLE	ARMPIT
ARMATURE	ARMIGER	ARMS
ARMBAND	ARMILLA	ARMY

CARE FOR A DANCE?

```
T C Q E T Z C Y Q B K G C B E
L C V S G Y C C J A K L O P R
Q I I M A Z U R K A I O I E N
J W U R N H L I Y M G P E B O
T T A N G O R H B I N L D O T
F A N D A N G O E R T H X C S
L T S Z W C L E O Q A G I N E
Z T L A W S N H U T R B S E L
G C X M H D T A U C A E Q M R
A B M A S F D P C O N G A A A
H K K C X R U M B A T U Y L H
K E N I I V A J B R E I S F C
I I J L B M X U M F L N Q J M
L I L R B O W Z D Y L E I R K
R E H O T C P G P S A G Z A O
```

BEGUINE	HORNPIPE	REEL
BOOGIE	JIG	RUMBA
BOP	JIVE	SAMBA
CANCAN	LIMBO	SHAKE
CHARLESTON	MAMBO	TANGO
CONGA	MAZURKA	TARANTELLA
FANDANGO	POLKA	TWIST
FLAMENCO	QUADRILLE	WALTZ

GULFS

```
Y N J R Y C G Z O E J G I D X
H Y I Q O F U L P A R I A A V
L G D N A L I A H T G U A E S
A M O F R Z N F U D U E O Y C
B O I G Y V E K A R H X N I F
A L G P S T A N R C A A E H I
T O E R U I S C E D K B G T N
A S Y T E K D P X P M A A E L
B O U F Z R M R C A L Q D F A
A M N O G A E A A H V A E I N
N K I R C V E N E Z U E L A D
O I M O E D N N R T I R R G M
E N I A M L U A E A G D E I L
B B C Q I A A M U S V G A M Q
Z Z T M Q S N S C K S K I C H
```

ADEN	GENOA	RIGA
AQABA	GUINEA	SALERNO
BATABANO	KVARNER	SIAM
CADIZ	MAINE	SIDRA
CAMPECHE	MANNAR	SUEZ
FETHIYE	MOLOS	THAILAND
FINLAND	OMAN	URABA
GDANSK	PARIA	VENEZUELA

BALL GAMES

```
E K Y S S E L U O B C P O B H
A O E B K T V P E O E Y B A S
B H S V G I E M A L R L S S A
S J S P L U T K O E G W C K U
E D O E V L R T C O V V R E Q
M G R T G T A C L A J L O T S
E L C A N K O B K E R L Q B L
B L A N I S E A T Y S A U A W
Y A L Q L L I M N O N B E L O
Y B S U W R L N E A O T T L B
F T R E O S H I N T Y F F N E
I E Z J B Q G T B E O O O Q C
V N X J P A O E I S T S R D V
E V Y N B I L W T E K C I R C
S B V M H B F L H O C K E Y C
```

BASEBALL	FIVES	RACKETS
BASKETBALL	FOOTBALL	RUGBY
BILLIARDS	GOLF	SHINTY
BOULES	HOCKEY	SKITTLES
BOWLING	LACROSSE	SOCCER
BOWLS	NETBALL	SOFTBALL
CRICKET	PELOTA	SQUASH
CROQUET	PETANQUE	TENNIS

SCHOOLDAYS

```
N H S C I S Y H P I I U E Y T
P E N J S Z G N I N R A E L S
J L E H N I T I M E T A B L E
N L P T L V N S G T N W I U K
R Y Y Y N Z S N A G U E K B B
M K R E T A I K E D R F O N X
F U E K T T C E R T Y G K U
K V F C U W I E E A P M C H F
X S H O R T S Y L R M U M F U
H E U H R E P O R T U A A J M
L Y K B K M G V Y Z X T P C N
H E A D M I S T R E S S C T W
R R Z S F T N A U R T S B E H
G A B S S B A S K E T B A L L
E G C Z I E C B H P A E N P M
```

BAG	HEADMISTRESS	REPORT
BASKETBALL	HOCKEY	SATCHEL
BULLY	LEARNING	SHORTS
BUS	LECTURE	STAFF
CANTEEN	MARKS	TENNIS
ESSAY	OUTING	TIE
EXAM	PASS	TIMETABLE
FORM	PHYSICS	TRUANT

SALAD DAYS

```
L E U B D H U F R O O T U D O
U E B R E P P E P N E E R G T
U Y N W Y E T G S K C D R I A
S T U N L A W W C R R J A V M
P H B O E S H O E E F P S Z O
S S A I T F R S S Q C S E F T
A I C N H R S S W H B C A R C
L D O O E M I Y E R U H C O U
A A N G C N N E E T V D L D C
D R B N G E S H T W X I Y L U
C E I I C E L E C K V I X A M
R G T R S K L E O E P U U W B
E T S P B E E T R O O T L B E
A Y E S I O C I N Y E L P P R
M H Y X H G B H O T A T O P O
```

BACON BITS	FENNEL	RADISH
BEETROOT	GREEN PEPPER	ROCKET
CAESAR	HERBS	SALAD CREAM
CELERY	LETTUCE	SPRING ONION
CHEESE	NICOISE	SWEETCORN
CRESS	OLIVE	TOMATO
CUCUMBER	PEAS	WALDORF
DRESSING	POTATO	WALNUTS

MOONS OF THE SOLAR SYSTEM

```
S A V I S X U A E Z D T L U P
U D J J O E D C R S Y H T E T
T N A N B I N Y A O O B L W C
E A B H O M Y C G L D B I A K
P R Z N H S N M E E L N G G R
A I E C P S G O R L B I A E A
I M X G U H Q C T U A E S P W
E K Y N D H C R Y I W D O T P
S Y A J H A Y E M D R R U H O
A J C A L Y P S O I U T U S P
M M N O R E B O D E I M O S T
I A G C N O I R E P Y H G R I
M E D H U M B R I E L X R H T
U I J E P R O I A T L A S E A
E T S S L U N A U U B Y T A N
```

ARIEL	HYPERION	PANDORA
ATLAS	IAPETUS	PHOBOS
CALLISTO	JANUS	PHOEBE
CALYPSO	LEDA	RHEA
DEIMOS	LUNA	TETHYS
DIONE	MIMAS	TITAN
ENCELADUS	MIRANDA	TRITON
EUROPA	OBERON	UMBRIEL

```
M M W D Y R O T A R O B A L Y
A S B E P H O T O G R A P H Y
D A E R T C E P S O P N X D V
P L I A O S S P O R T R A I T
R P A C P B P M Q C Y L Q T T
O O Q S G O S E A B Y G E H E
F T G Q C T V J L E X R G S R
E C U W I G M C R L R I Q G I
S E W C H Y R G H O R C B C P
S H K O S E P D R F V A S O M
O W S T A W A I L I N G F B A
R T E K B C Z S E S I O N W V
F R I T H G I L H S A L F E G
Y N X C A N D E L A B R A B R
G V B V W Q E E S R U C O S B
```

BANSHEE	FRIGHT	PORTRAIT
BROOMSTICK	GHOST	SCARED
CANDELABRA	GREY LADY	SCREAMS
COBWEBS	LABORATORY	SPECTRE
CREAKING	MAD PROFESSOR	SPELL
CURSE	MYSTERY	TERROR
ECTOPLASM	NOISES	VAMPIRE
FLASHLIGHT	PHOTOGRAPH	WAILING

BREAKFAST TABLE

```
F A E T B T C P L O N M T Q M
O G F A O O I A E W H Y N S A
R E C R F M E U O Y L A I R J
A O G F I R A R R S K K F E W
N S E D E E B T E F K E F P Y
G E A C I H D K O G E I U P T
E L Q M S R A E P E Y P M I K
J F E A I L R Z G O S X A K E
U F H O F Z I O G G M C O R D
I A G N I D D U P E T I H W G
C W R M B Y R G H J Q X N P E
E O W R E T S A O T B J H A R
C H E N F E E L O X E H A E E
K A O B N S A U S A G E M H E
D H C L M S N A E B D E K A B
```

BACON	HAM	PORRIDGE
BAKED BEANS	HASH BROWN	SAUSAGE
BREAD	HONEY	TEA
CEREAL	JAM	TOAST
COFFEE	KEDGEREE	TOMATOES
CORNFLAKES	KIPPERS	WAFFLES
FRIED EGG	MUFFIN	WHITE PUDDING
GRAPEFRUIT	ORANGE JUICE	YOGURT

AUTHORS

```
E K K B L E G I I D I S E N S
N V P F E D R O F T I M K O J
R T N L G L J O Y C E P I I P
E P I O G Z K J M P L D N J A
V O L D S T D O T K W A G C R
T M L E N N R P A N C B R E I
D C E F M A E E A L O A M K H
V E W O V A L V S D T O L M E
F W N E G C S T E S H T Q B B
T A R H N E O E R T E A A C R
W N O D M P B L F A S L R T V
A R C A C O A Q L I C U L D A
I I J P B P K S T O E H W U Y
N O M I S T E J T W D L B H L
J F K O G Y R T L R L I D J P
```

ALCOTT	ELIOT	MITFORD
BAKER	HARDY	POE
BLACKMORE	HOMER	POPE
CARTLAND	JAMES	SIMON
CLARKE	JOYCE	STEVENSON
COLLODI	KING	TRESSELL
CORNWELL	MASEFIELD	TWAIN
DEFOE	MCEWAN	VERNE

ARTISTS

BACON	DERAIN	NOLDE
BARTELOMEA	GOYA	RODIN
BLAKE	KLEE	STEEN
BOYD	LICHTENSTEIN	TINTORETTO
CARACCIOLO	LOWRY	TITIAN
COROT	MANZU	TURNER
COTMAN	MATISSE	VAN GOGH
DALI	NOLAN	WARHOL

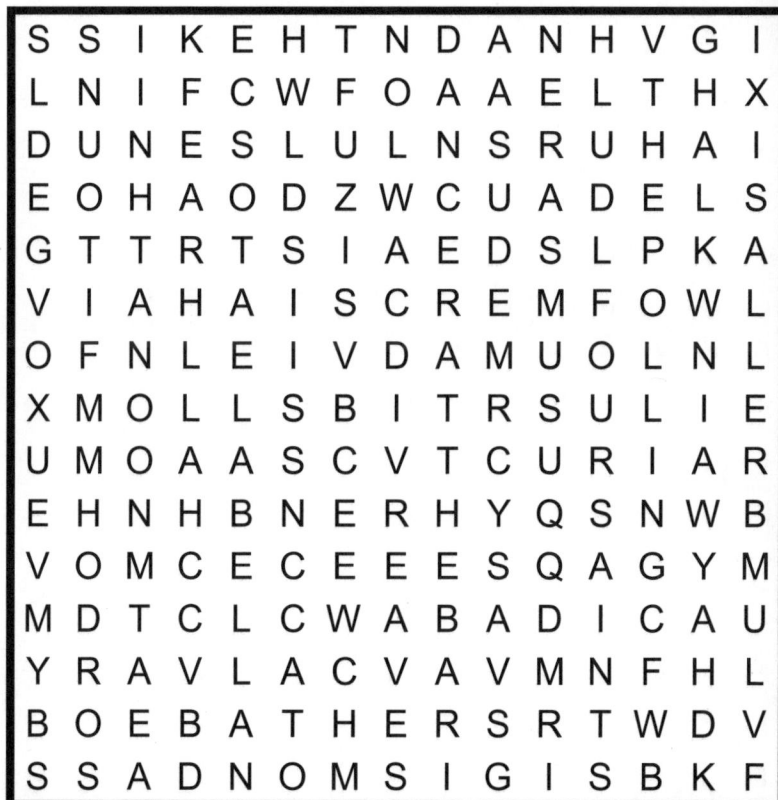

```
S S I K E H T N D A N H V G I
L N I F C W F O A A E L T H X
D U N E S L U L N S R U H A I
E O H A O D Z W C U A D E L S
G T T R T S I A E D S L P K A
V I A H A I S C R E M F O W L
O F N L E I V D A M U O L N L
X M O L L S B I T R S U L I E
U M O A A S C V T C U R I A R
E H N H B N E R H Y Q S N W B
V O M C E C E E E S Q A G Y M
M D T C L C W A B A D I C A U
Y R A V L A C V A V M N F H L
B O E B A T H E R S R T W D V
S S A D N O M S I G I S B K F
```

ALONE	FLORA	MONA LISA
BATHERS	FOUR SAINTS	NATIVITY
CALVARY	GIN LANE	SALOME
DANAE	HAY WAIN	SIGISMONDA
DANCER AT THE BAR	ICARUS	THE KISS
DUNES	LA BELLA	THE POLLING
ECCE HOMO	LEDA	THE SCREAM
ERASMUS	MEDUSA	UMBRELLAS

JUST DESERTS

```
R W N E S A R O J F Z D Y N Y
V E A U T Q R A H T K A W T I
V S I E T N Q A S O N O R A N
V T N B G G O A H T N K A D V
A E O H R I N M A A Z K N J K
N R G D F R B R J Q S K P U S
O N A E E I C S Y W X A J D I
C M T B N T D M O J A V E E D
C Y A P I F N D H N A I V A N
A T P C C D E I L B R R R N E
I Y M J Z L O U A N A Y B I L
N A M I B F G N C P B L T K A
A L D A H N A N U B I A N Z H
N S D U D E A T H V A L L E Y
B I B O G M E Q B Y N G A B Y
```

ACCONA	HALENDI	NUBIAN
AL-DAHNA	JUDEAN	PAINTED
ANTARCTIC	KAVIR	PATAGONIAN
ARABIAN	LIBYAN	SAHARA
BLEDOWSKA	MOJAVE	SONORAN
DEATH VALLEY	MONTE	TABERNAS
GIBSON	NAMIB	THAR
GOBI	NEGEV	WESTERN

BODIES OF WATER

```
Q L A K I A B O S P O R U S A
A W H I T E S E A H C Z D Y E
N R S P A E S N A I B A R A S
G E A B S C J E O J H V G B H
R D K L F I F T G C A C R N S
G S L A S L A K E E R I E O I
C E A C S E U K S F C F A S R
A A B K S K A L L D N I T D I
R T W S E L A B L K I C B U N
I L S E R R A R D S Z A E H S
B A B A O L K F A F W P A P T
B N D C T I M O R S E A R Q C
E T L I N O R T H S E A T L B
A I C I T A I R D A F A L E H
N C S A O X J V U L H Y Z R R
```

ADRIATIC	BLACK SEA	LAKE CHAD
ARABIAN SEA	BOSPORUS	LAKE ERIE
ARAL SEA	CARIBBEAN	NORTH SEA
ATLANTIC	CORAL SEA	PACIFIC
BAIKAL	GREAT BEAR	RED SEA
BALKASH	HUDSON BAY	TIMOR SEA
BALTIC	IRISH SEA	ULLSWATER
BASS SEA	KARA SEA	WHITE SEA

GET DRESSED

```
O O D N Q Q S B Z U S J T S T
E E R M C A O T X W K H A K V
T I U S M I W S V O I S O C M
A R L Y A S H M A K R A C O I
S A N Z U B U L F S T R R S T
T R Y S T P G P Y E T I E R T
A B R Z A Z L A E F N O V D E
O Y I K O B S R R A P R O N N
C P X K C S W K X G U U E B S
T S E V I A N A U T B G Q L S
S T G G T N D A I L L Z B O P
I R U T T J I G E I L D B U A
A R O D E F H T G J K C C S N
W G H Y P T S E O H S Y A E T
T G A J S X E R S M P U M P S
```

APRON	NEGLIGEE	SKIRT
BIKINI	OVERCOAT	SKULLCAP
BLOUSE	PANTS	SOCKS
BOOTS	PARKA	SWIMSUIT
DOUBLET	PETTICOAT	TIGHTS
FEDORA	PUMPS	VEST
JEANS	SARI	WAISTCOAT
MITTENS	SHOES	YASHMAK

MUSIC LESSON

```
S P L E C T R U M O O L E L P
C U N B D O G O X T O D V A O
A B I J V Y P K A S O A D D R
L A C T Q M F B A M F O V E S
E S R R E U U R I S T U V P T
S S T T O R A N E T I A W T A
R C P A N T A R E T U Q T F C
P L E S V N C D T Q B E Z O C
R E T P T E N H X E N O M S A
A F S K Z O S I E S R I A W T
C E O T T P C H I T N T E R O
T Y W E L R Y O V I B V O Y D
I S T Y A A N D M J E B U N B
C G R O W H C N H R B Y X Q E
E E R U T S O P B R I D G E N
```

BASS CLEF	PLECTRUM	SOFT PEDAL
BREVE	POSTURE	STACCATO
BRIDGE	PRACTICE	STAVES
CROTCHET	QUARTER-TONE	SUITE
DOMINANT	QUAVER	TEMPO
DOTTED NOTE	RUBATO	TENSION
FRETBOARD	SCALES	TWO-STEP
MINIM	SHARP	WALTZ

ANIMAL FARM

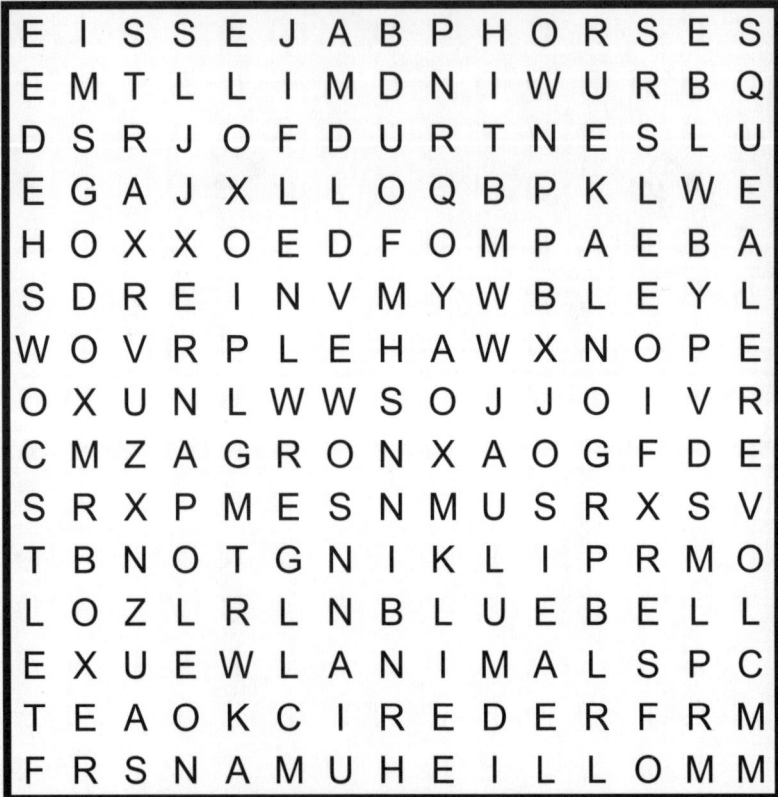

```
E I S S E J A B P H O R S E S
E M T L L I M D N I W U R B Q
D S R J O F D U R T N E S L U
E G A J X L L O Q B P K L W E
H O X X O E D F O M P A E B A
S D R E I N V M Y W B L E Y L
W O V R P L E H A W X N O P E
O X U N L W W S O J J O I V R
C M Z A G R O N X A O G F D E
S R X P M E S N M U S R X S V
T B N O T G N I K L I P R M O
L O Z L R L N B L U E B E L L
E X U E W L A N I M A L S P C
T E A O K C I R E D E R F R M
F R S N A M U H E I L L O M M
```

ANIMALS	HORSES	MURIEL
BENJAMIN	HUMANS	NAPOLEON
BLUEBELL	JESSIE	OLD MAJOR
BOXER	MOLLIE	PIGS
CLOVER	MR FREDERICK	PINKEYE
COWSHED	MR JONES	SNOWBALL
DOGS	MR PILKINGTON	SQUEALER
FOXWOOD	MR WHYMPER	WINDMILL

ANIMALS' HOMES

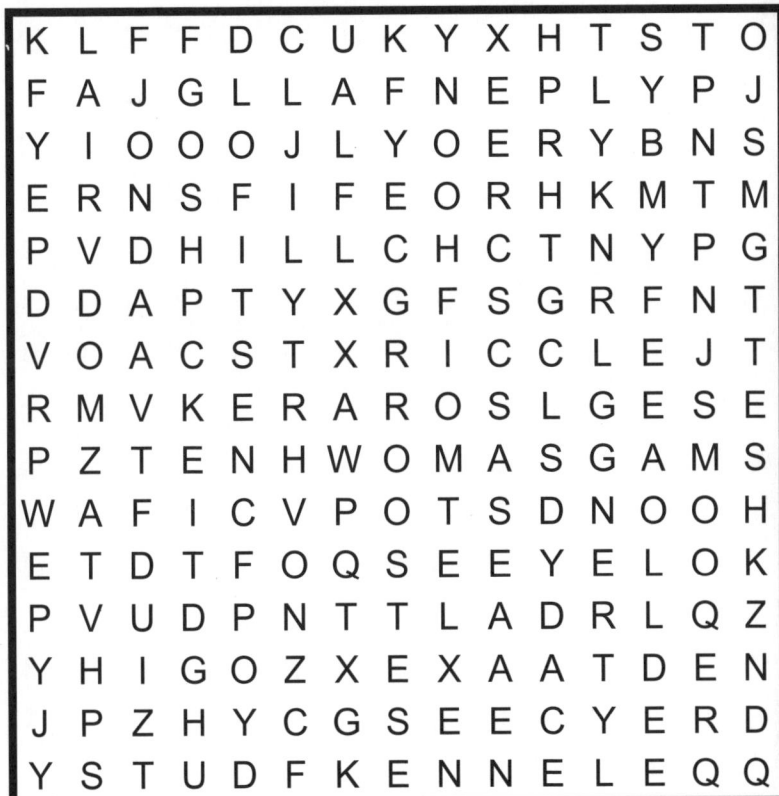

```
K L F F D C U K Y X H T S T O
F A J G L L A F N E P L Y P J
Y I O O O J L Y O E R Y B N S
E R N S F I F E O R H K M T M
P V D H I L L C H C T N Y P G
D D A P T Y X G F S G R F N T
V O A C S T X R I C C L E J T
R M V K E R A R O S L G E S E
P Z T E N H W O M A S G A M S
W A F I C V P O T S D N O O H
E T D T F O Q S E E Y E L O K
P V U D P N T T L A D R L Q Z
Y H I G O Z X E X A A T D E N
J P Z H Y C G S E E C Y E R D
Y S T U D F K E N N E L E Q Q
```

BYRE	HILL	PADDOCK
CAVE	HIVE	PEN
COOP	HOLT	ROOST
DEN	HUTCH	SETT
DOVECOTE	KENNEL	SHELL
DREY	LAIR	STALL
FOLD	LEDGE	STUD
FORTRESS	NEST	STY

GIRLS' NAMES

```
G N A R I S U E L A G Q D W O
Y E N L P Z V A R R I V R L H
H L C D I A N E E D V N O T M
F I I Y L E T L C N I U E J Z
I U Y M M S L Z I A I N T X O
K Y L I E E K L L S Y Q S A E
T E E H I R I Y A W R D N T N
E E I R A M R N G K Y E V X I
R U B D M E Y E C W Z A H J L
A A X W M Y E U N F D I F N E
G J W Y E E S A C I L W O W U
R U M L G T D N N D X O Z C Q
A T M G Y T N X A E Q A R R C
M L V Q L C I D Y P H N M A A
Q M A D N I L B X X M J I Q J
```

ALICE	HILDA	MARIE
DIANE	JACQUELINE	MAXINE
EMILY	KYLIE	MERYL
FLORA	LEILA	PANSY
GABRIELLE	LINDA	SANDRA
GEMMA	LINDSEY	XENIA
GWYNETH	LOUISA	ZENA
HESTER	MARGARET	ZOE

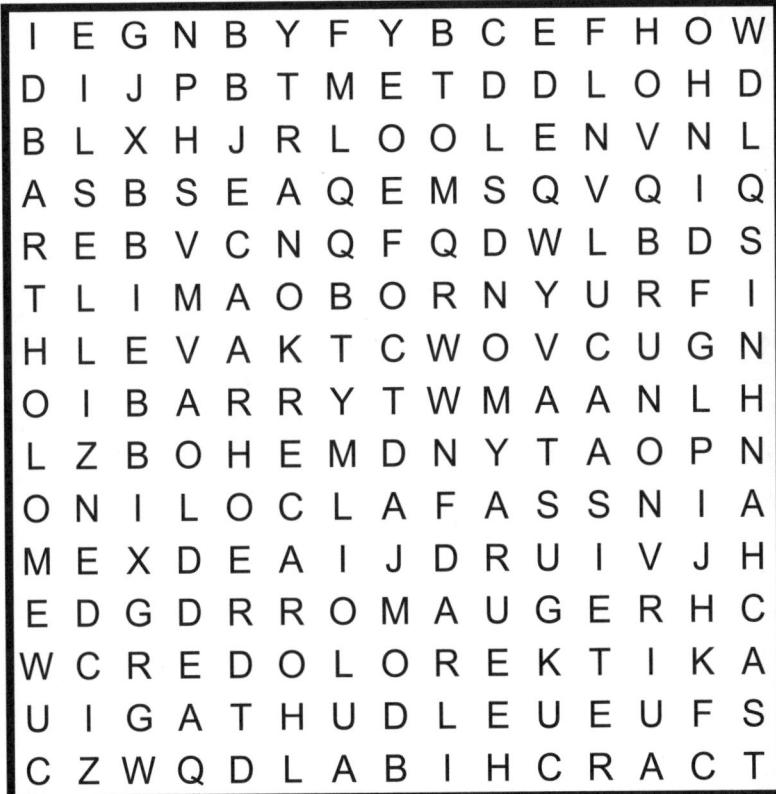

```
I E G N B Y F Y B C E F H O W
D I J P B T M E T D D L O H D
B L X H J R L O O L E N V N L
A S B S E A Q E M S Q V Q I Q
R E B V C N Q F Q D W L B D S
T L I M A O B O R N Y U R F I
H L E V A K T C W O V C U G N
O I B A R R Y T W M A A N L H
L Z B O H E M D N Y T A O P N
O N I L O C L A F A S S N I A
M E X D E A I J D R U I V J H
E D G D R R O M A U G E R H C
W C R E D O L O R E K T I K A
U I G A T H U D L E U E U F S
C Z W Q D L A B I H C R A C T
```

ADRIAN	DENZIL	MARMADUKE
ARCHIBALD	ELVIS	MICHAEL
BARRY	GERALD	NIGEL
BARTHOLOMEW	GUSTAV	OLIVER
BRUNO	HORACE	RAOUL
CALEB	ISAAC	RAYMOND
CEDRIC	KEVIN	SACHA
COLIN	LESLIE	SCOTT

KING HENRY VIII

```
S S F N H W I U Q J Y H D V L
E B C I O G N I K Y S K C E R
V R T R D J E S T E R R A E F
E Q V N A E B G Y E O N W B M
L O N D O N I X N M Q O E A F
C E Y V O S M D W A T E R H L
M P O P T I A E E Q M T T S Z
M A T Y P D L E R F I O D B N
A A O A E L R G R N E R E Y D
K V R J A N E A L T A N E Y K
E R Y Y I Y G U W W O L S E Y
T H R O N E T L O D O B P O A
Q U E E N H H H A B E O S N R
Q D C D E B K O V N P Q N M I
J N M R K I W F A Q D E U N R
```

ANNE	HENRY	PARR
BOLEYN	HOWARD	POPE
CLEVES	JANE	QUEEN
CRANMER	JESTER	THRONE
CROMWELL	KING	TOWER
EDWARD	LONDON	TREASON
ENGLAND	MARTIN LUTHER	WOLSEY
FIDEI DEFENSOR	MARY	YEOMAN

KING ARTHUR

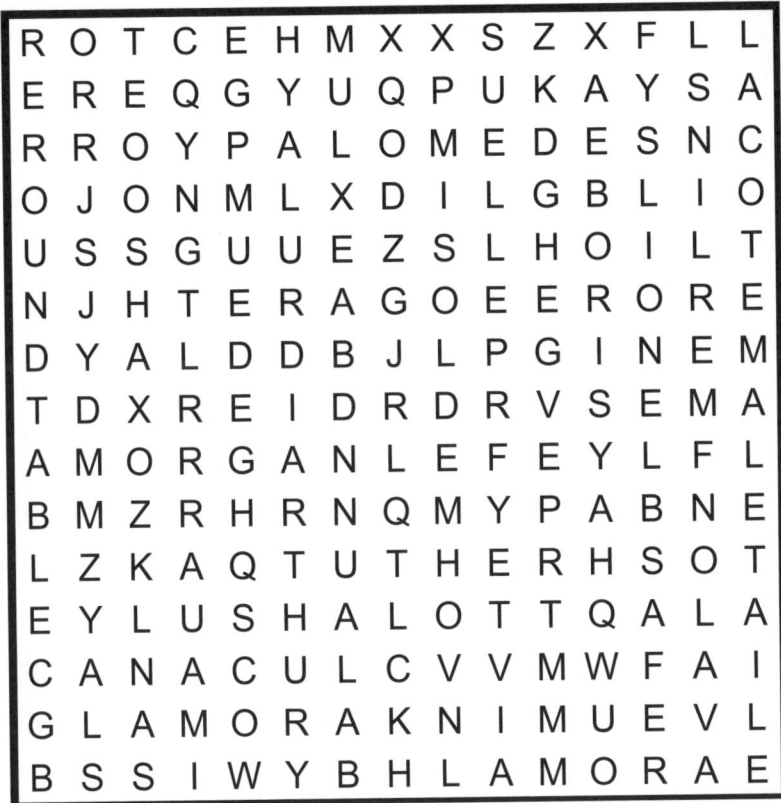

```
R O T C E H M X X S Z X F L L
E R E Q G Y U Q P U K A Y S A
R R O Y P A L O M E D E S N C
O J O N M L X D I L G B L I O
U S S G U U E Z S L H O I L T
N J H T E R A G O E E R O R E
D Y A L D D B J L P G I N E M
T D X R E I D R D R V S E M A
A M O R G A N L E F E Y L F L
B M Z R H R N Q M Y P A B N E
L Z K A Q T U T H E R H S O T
E Y L U S H A L O T T Q A L A
C A N A C U L C V V M W F A I
G L A M O R A K N I M U E V L
B S S I W Y B H L A M O R A E
```

ARTHUR	ISOLDE	MORGAN LE FEY
AVALON	KAY	NIMUE
BORIS	LA COTE MALE TAILE	PALOMEDES
BRUNOR		PELLEUS
	LAMORAK	
DEGORE	LIONEL	ROUND TABLE
GALAHAD	LUCAN	SAFER
GARETH	MERLIN	SHALOTT
HECTOR	MORDRED	UTHER

'RED' STARTS

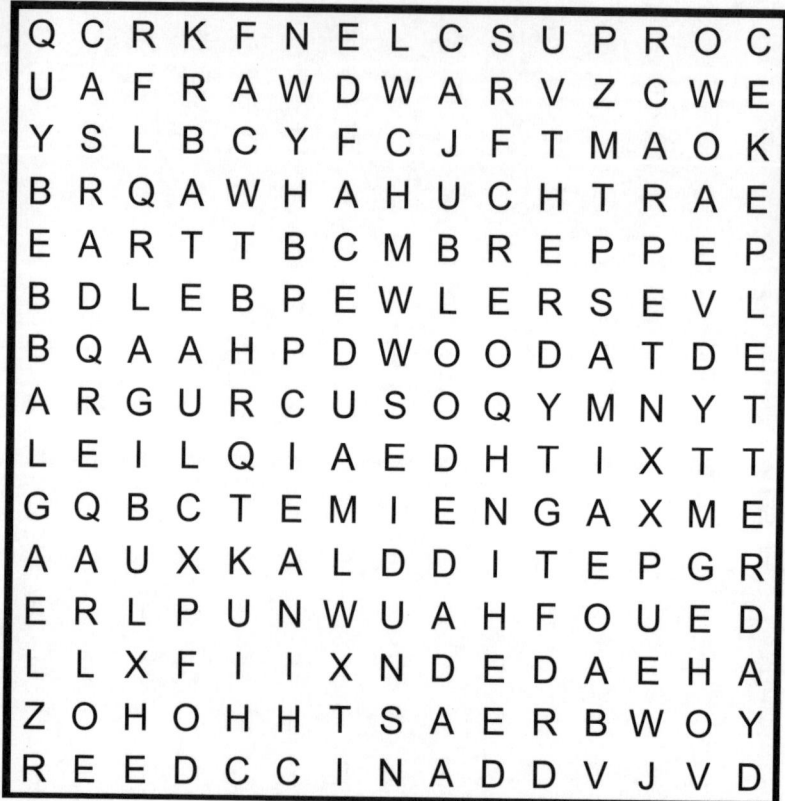

```
Q C R K F N E L C S U P R O C
U A F R A W D W A R V Z C W E
Y S L B C Y F C J F T M A O K
B R Q A W H A H U C H T R A E
E A R T T B C M B R E P P E P
B D L E B P E W L E R S E V L
B Q A A H P D W O O D A T D E
A R G U R C U S O Q Y M N Y T
L E I L Q I A E D H T I X T T
G Q B C T E M I E N G A X M E
A A U X K A L D D I T E P G R
E R L P U N W U A H F O U E D
L L X F I I X N D E D A E H A
Z O H O H H T S A E R B W O Y
R E E D C C I N A D D V J V D
```

ADMIRAL	CHERRY	FLAG
ALGAE	CHINA	GIANT
BLOODED	CORPUSCLE	GUARD
BREAST	CURRANT	HEADED
BRICK	DEER	LETTER DAY
CABBAGE	DWARF	PEPPER
CARD	EARTH	TAPE
CARPET	FACED	WOOD

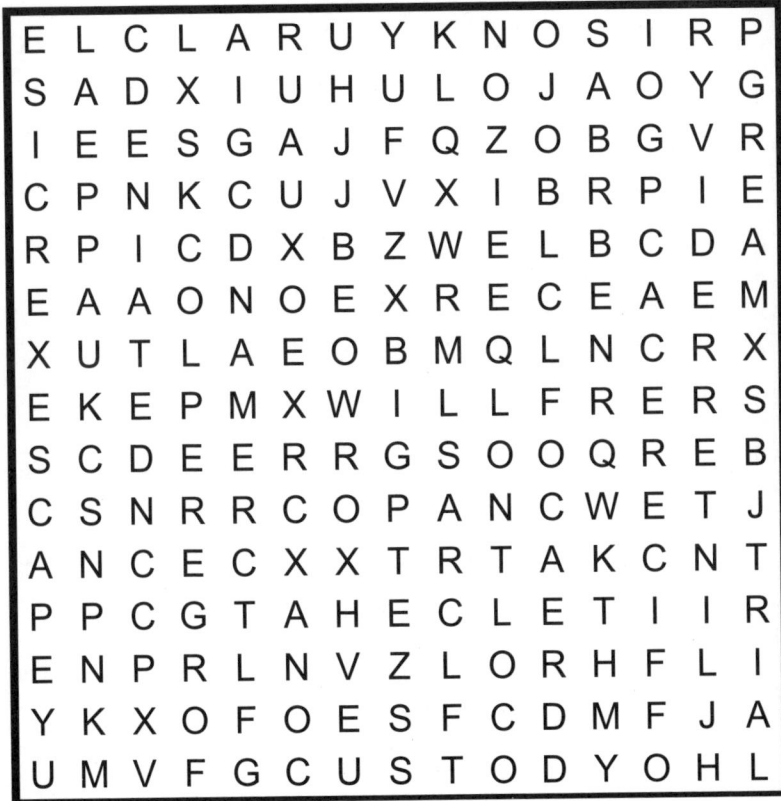

```
E L C L A R U Y K N O S I R P
S A D X I U H U L O J A O Y G
I E E S G A J F Q Z O B G V R
C P N K C U J V X I B R P I E
R P I C D X B Z W E L B C D A
E A A O N E X R E C E A E M
X U T L A E O B M Q L N C R X
E K E P M X W I L L F R E R S
S C D E E R R G S O O Q R E B
C S N R R C O P A N C W E T J
A N C E C X X T R T A K C N T
P P C G T A H E C L E T I I R
E N P R L N V Z L O R H F L I
Y K X O F O E S F C D M F J A
U M V F G C U S T O D Y O H L
```

APPEAL	DOCTOR	NEWGATE
BARS	ESCAPE	OFFICER
BLOCK	EXERCISE	PRISON
CELLS	FORGER	REMAND
CRIME	GOVERNOR	ROBBER
CROOK	INTERRED	SENTENCE
CUSTODY	JAIL	TRIAL
DETAINED	LOCKS	WALLS

ASTRONOMY LESSON

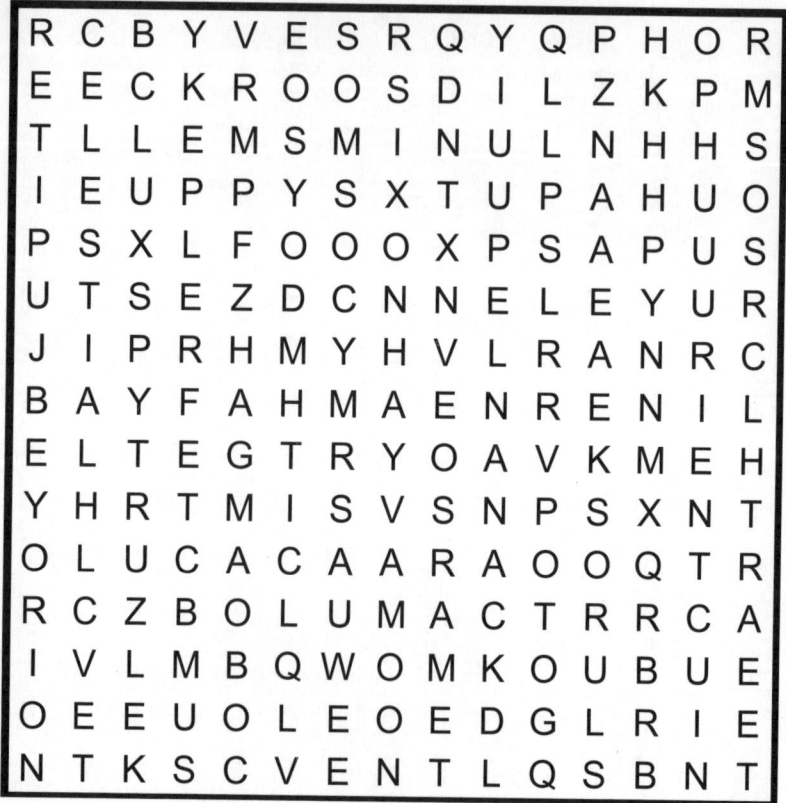

```
R C B Y V E S R Q Y Q P H O R
E E C K R O O S D I L Z K P M
T L L E M S M I N U L N H H S
I E U P P Y S X T U P A H U O
P S X L F O O O X P S A P U S
U T S E Z D C N N E L E Y U R
J I P R H M Y H V L R A N R C
B A Y F A H M A E N R E N I L
E L T E G T R Y O A V K M E H
Y H R T M I S V S N P S X N T
O L U C A C A A R A O O Q T R
R C Z B O L U M A C T R R C A
I V L M B Q W O M K O U B U E
O E E U O L E O E D G L R I E
N T K S C V E N T L Q S B N T
```

CELESTIAL	JUPITER	PLUTO
COSMIC	KEPLER	QUASAR
COSMOS	MARS	SATURN
EARTH	MOON	STARS
EPOCH	ORBIT	SUNS
EUROPA	ORION	SUPERNOVA
HALLEY'S COMET	PHASE	VARIABLE
HUBBLE	PLANET	VENUS

ASTROLOGICAL READING

```
T K K Z U O E S R C H T S J L
A U N C E U E V A A W N N O P
O Q R L H I C N I Q M E I F R
G A U H R O C K S U W M W I E
B L O A B E C L H M O E T R D
N W U U R U D O D I S L L E I
O M L T S I U G P I Y E I H C
I L M P K S U R W C M L O A T
T M S T E H O S W O X R H I I
I N O I T C N U J N O C S R O
S M T R S C A L E S C N Q S N
O N A R N D Y C C S B D J I M
P E J O I Q E O S Z H F C G O
P M I Q Z N P I S C E S O N O
O L A R P E Q A C H Q X N L N
```

AIR SIGN	EARTH	MOON
AQUARIUS	ELEMENT	OPPOSITION
ARIES	FIRE	PISCES
BULL	GOAT	PREDICTION
CANCER	HOROSCOPE	RAM
CONJUNCTION	HOUSE	SCALES
CRAB	LEO	SCORPIO
CUSP	LION	TWINS

SHAPE UP

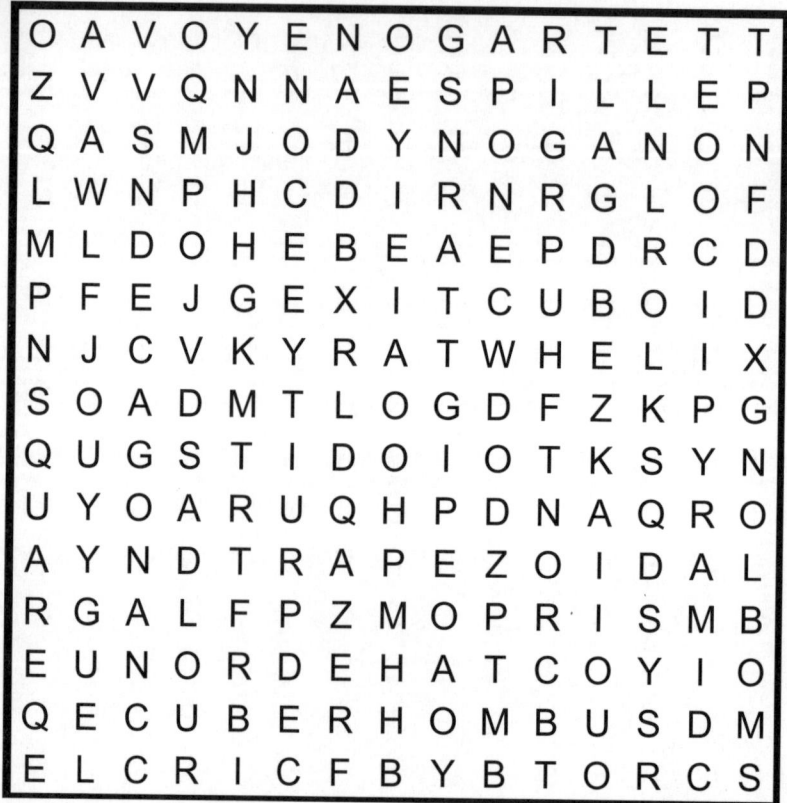

```
O A V O Y E N O G A R T E T T
Z V V Q N N A E S P I L L E P
Q A S M J O D Y N O G A N O N
L W N P H C D I R N R G L O F
M L D O H E B E A E P D R C D
P F E J G E X I T C U B O I D
N J C V K Y R A T W H E L I X
S O A D M T L O G D F Z K P G
Q U G S T I D O I O T K S Y N
U Y O A R U Q H P D N A Q R O
A Y N D T R A P E Z O I D A L
R G A L F P Z M O P R I S M B
E U N O R D E H A T C O Y I O
Q E C U B E R H O M B U S D M
E L C R I C F B Y B T O R C S
```

CIRCLE	HEXAGON	PYRAMID
CONE	NONAGON	QUADRILATERAL
CUBE	OBLONG	RHOMBUS
CUBOID	OCTAHEDRON	SPHEROID
DECAGON	ORB	SQUARE
ELLIPSE	OVAL	TETRAGON
HELIX	POLYGON	TRAPEZOID
HEPTAGON	PRISM	TRIANGLE

SCOTTISH LOCHS

```
Z A A V E N G S J N H C I U D
H H S L O I B X O K T P U J D
Y Q O R A Q K J S L O S L L B
D N R V H U O R N I R Q S I A
G A A Z J Y X X I N R Q Z E G
C C G R G J O C Z N I J W T N
S U O S P X U B O H D E I B T
Y G I K R Z O P R E O V M R I
Y W L A I I A G T X N U O A J
M E L V S U O J E N Y F O C J
S Z V D O C D B G Z E G R A D
I Q A I F V X N Y B E V B D M
V L F C T N O B U I E Q E A Y
E E Z S W E E N C A T E E L F
N C M C U G C L L O B I R E R
```

BOISDALE	ETIVE	LINNHE
BRACADALE	EWE	LONG
BROOM	FLEET	NESS
BUIE	FYNE	NEVIS
CARRON	GILP	SCAVAIG
DUICH	GOIL	SNIZORT
EIL	HUORN	SWEEN
ERIBOLL	LEVEN	TORRIDON

MIND YOUR LANGUAGE

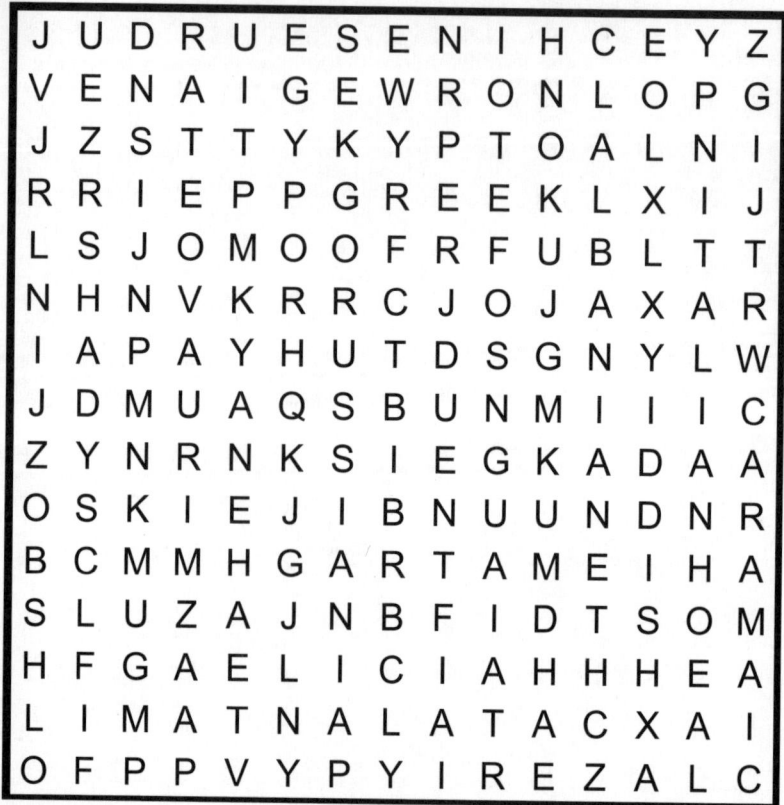

```
J U D R U E S E N I H C E Y Z
V E N A I G E W R O N L O P G
J Z S T T Y K Y P T O A L N I
R R I E P P G R E E K L X I J
L S J O M O O F R F U B L T T
N H N V K R R C J O J A X A R
I A P A Y H U T D S G N Y L W
J D M U A Q S B U N M I I I C
Z Y N R N K S I E G K A D A A
O S K I E J I B N U U N D N R
B C M M H G A R T A M E I H A
S L U Z A J N B F I D T S O M
H F G A E L I C I A H H H E A
L I M A T N A L A T A C X A I
O F P P V Y P Y I R E Z A L C
```

AFRIKAANS	CREOLE	NORWEGIAN
ALBANIAN	DANISH	PORTUGUESE
ARAMAIC	GAELIC	PUNJABI
AZERI	GERMAN	RUSSIAN
BENGALI	GREEK	TAMIL
BURMESE	HINDI	URDU
CATALAN	ITALIAN	WALLOON
CHINESE	MALAY	YIDDISH

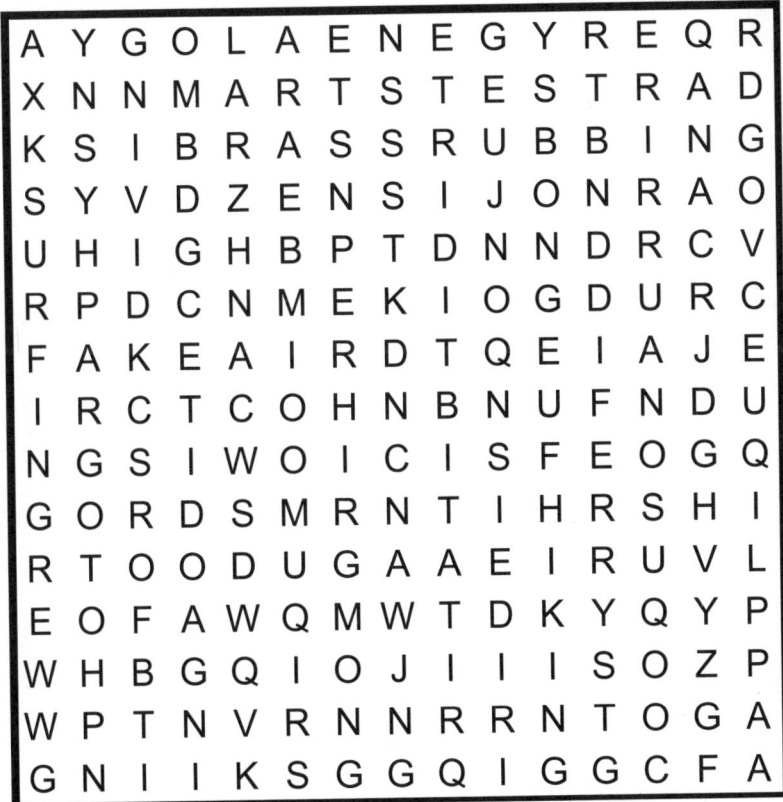

```
A Y G O L A E N E G Y R E Q R
X N N M A R T S T E S T R A D
K S I B R A S S R U B B I N G
S Y V D Z E N S I J O N R A O
U H I G H B P T D N N D R C V
R P D C N M E K I O G D U R C
F A K E A I R D T Q E I A J E
I R C T C O H N B N U F N D U
N G S I W O I C I S F E O G Q
G O R D S M R N T I H R S H I
R T O O D U G A A E I R U V L
E O F A W Q M W T D K Y Q Y P
W H B G Q I O J I I I S O Z P
W P T N V R N N R R N T O G A
G N I I K S G G Q I G G C F A
```

ANTIQUES	GARDENING	ROWING
APPLIQUE	GENEALOGY	SINGING
BADMINTON	HIKING	SKETCHING
BRASS-RUBBING	JUDO	SKIING
CHESS	MUSIC	STAMPS
DARTS	PHOTOGRAPHY	SURFING
DECORATING	RAFFIA WORK	WOODWORK
DIVING	RIDING	YOGA

AUTUMN

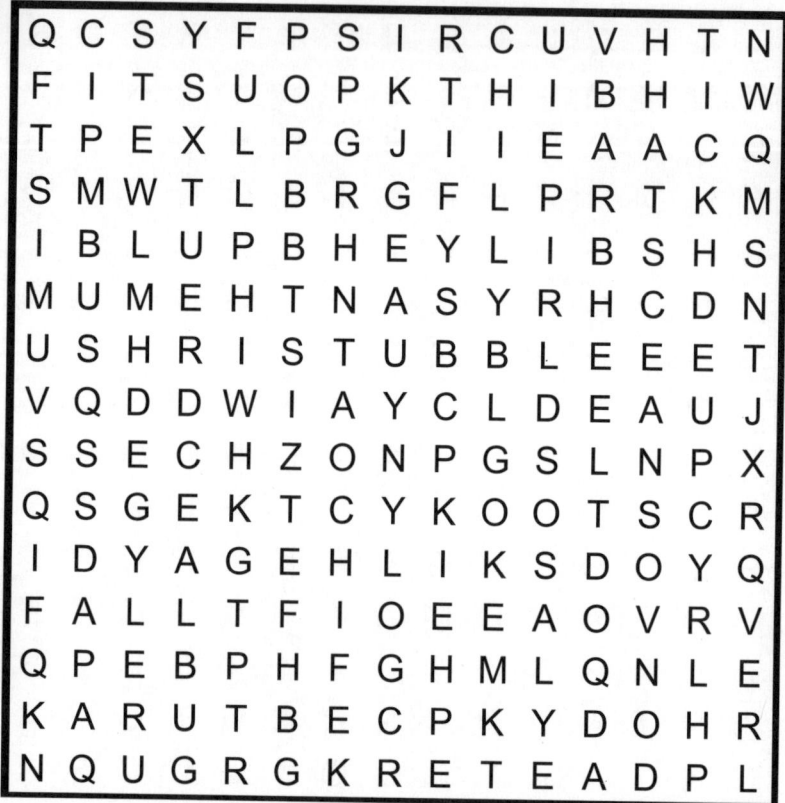

```
Q C S Y F P S I R C U V H T N
F I T S U O P K T H I B H I W
T P E X L P G J I I E A A C Q
S M W T L B R G F L P R T K M
I B L U P B H E Y L I B S H S
M U M E H T N A S Y R H C D N
U S H R I S T U B B L E E E T
V Q D D W I A Y C L D E A U J
S S E C H Z O N P G S L N P X
Q S G E K T C Y K O O T S C R
I D Y A G E H L I K S D O Y Q
F A L L T F I O E E A O V R V
Q P E B P H F G H M L Q N L E
K A R U T B E C P K Y D O H R
N Q U G R G K R E T E A D P L
```

CHESTNUT	FOGGY	REAP
CHILLY	GATHER	RIPE
CHRYSANTHEMUM	GLEAN	SEEDS
COAT	HATS	STEW
COOL	HIGH TIDES	STOOK
CRISP	MIST	STORE
DAMP	PLUMS	STUBBLE
FALL	RAIN	YIELD

FLORAL DISPLAY

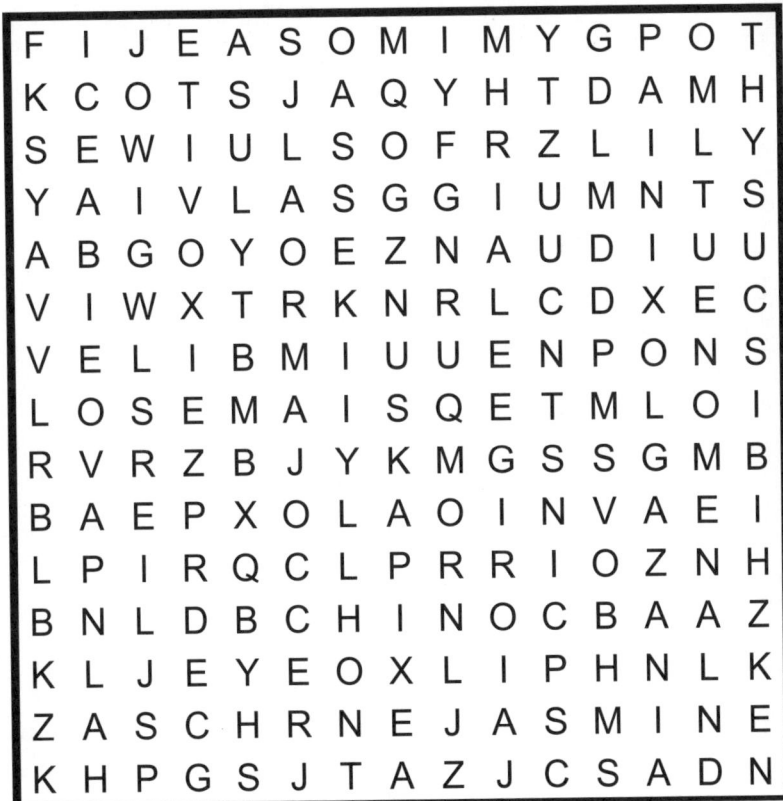

```
F  I  J  E  A  S  O  M  I  M  Y  G  P  O  T
K  C  O  T  S  J  A  Q  Y  H  T  D  A  M  H
S  E  W  I  U  L  S  O  F  R  Z  L  I  L  Y
Y  A  I  V  L  A  S  G  G  I  U  M  N  T  S
A  B  G  O  Y  O  E  Z  N  A  U  D  I  U  U
V  I  W  X  T  R  K  N  R  L  C  D  X  E  C
V  E  L  I  B  M  I  U  U  E  N  P  O  N  S
L  O  S  E  M  A  I  S  Q  E  T  M  L  O  I
R  V  R  Z  B  J  Y  K  M  G  S  S  G  M  B
B  A  E  P  X  O  L  A  O  I  N  V  A  E  I
L  P  I  R  Q  C  L  P  R  R  I  O  Z  N  H
B  N  L  D  B  C  H  I  N  O  C  B  A  A  Z
K  L  J  E  Y  E  O  X  L  I  P  H  N  L  K
Z  A  S  C  H  R  N  E  J  A  S  M  I  N  E
K  H  P  G  S  J  T  A  Z  J  C  S  A  D  N
```

ANEMONE	JASMINE	ORCHID
ASTER	LILAC	OXLIP
CYCLAMEN	LILY	PINK
GAZANIA	LOBELIA	SALVIA
GERBERA	MALLOW	STOCK
GLOXINIA	MIMOSA	VERBENA
HIBISCUS	MIMULUS	VIOLET
IRIS	MYOSOTIS	ZINNIA

CHEESE BOARD

```
B A L L E R A Z Z O M P L M Q
M N A L A L O Z N O G R O G Y
A P Y E N G A N A U X A Z R B
D R E T S E C I E L D E R A L
E B O C C O N C I N I V N B E
S S K R T C H E D D A R H E T
Y X R T V N L U O L D T C T A
H Q A T X L A T N E M M E T H
C G U W O O D S I D E N G O C
E A Q Z G R C H E S H I R E F
F K B O L K T A F M L T R E U
B L U E V I N N E Y R I T B E
N D O L C E L A T T E A T A N
A Z H T R O F E U Q O R P S R
S A L I M B U R G E R O I R C
```

BLUE VINNEY	EDAM	NEUFCHATEL
BOCCONCINI	EMMENTAL	PARMESAN
BRIE	FETA	PYENGANA
CABECOU	GORGONZOLA	QUARK
CHEDDAR	GOUDA	RED LEICESTER
CHESHIRE	GRABETTO	ROQUEFORT
COTTAGE	LIMBURGER	TILSIT
DOLCELATTE	MOZZARELLA	WOODSIDE

MEASURES OF DISTANCE

```
K D D R L Z K U W C L Z I M D
J T B O I B A E I U E I S K L
V J S U J G E O X Z R C M E V
E S O L C F L Y S P N A A I T
W Y T V G Q P E O O A G F P T
F S S Y A R D M K N U N Q A S
M S E Z S C U E B E D F S R H
H E H A I T Z R T N E T X E C
E N T R Z B U T I I W J A M A
C K R R E S R X J M W T C O E
T C U B E S Q E V D N H R T R
A I F R F S C H A I N G E E E
R H B H O L Y V I D V I A K U
E T R U O O Z Y A P T E G V T
Q N O S T B D E L I M H E M A
```

ACREAGE	EXTREME	MILE
AFAR	FOOT	REACH
BEYOND	FURTHEST	REMOTE
BREADTH	HECTARE	ROOD
CHAIN	HEIGHT	SIZE
CLOSE	LEAGUE	SPACE
EXPANSE	LIMIT	THICKNESS
EXTENT	METRE	YARD

VERY CLEVER

```
E G W D X N S I X L P C L X A
T B J A S T U T E Q R L J J R
R F K K Y N N Y N I A R B E K
A N K W C Y D W A N H V A C T
M L E A R N E D O F S D I U L
S S N E L Y R I C O Y U T N U
R N H D K O S F Q R Q O T N F
Y Y L R I S T A Z M R H R I L
K E U T E C A Q M E Q D E N I
O N N F L W N G D D G J L G K
B U O E Q N D L U F T R A E S
D R V W K D I S C E R N I N G
P E H X I I N S T R U C T E D
R W V N P N G E X P E R T A I
C Z I U T D G M M U T T V X G
```

ADROIT	DISCERNING	QUICK
ALERT	EXPERT	READY
ARTFUL	INFORMED	SHARP
ASTUTE	INSTRUCTED	SHREWD
BRAINY	KEEN	SKILFUL
CANNY	KNOWING	SMART
CLEVER	LEARNED	TUTORED
CUNNING	PROFESSIONAL	UNDERSTANDING

LIGHTWEIGHT

```
Y L A I R E T A M M I T A W C
A T Q O D L L A E R E H T E F
I N S V E F U H A P W H E I L
R A G S N I A C E E I A L G O
Y Y O F Y R Y G U N S A I H A
F O I P G T D R O Y G Q G T T
L U G A N V J P E S D R H L Y
I B Q P O Q Q Y S H S N T E N
M E O E P G H C W A T A A S F
S L I R S K A S B O K A M S T
Y K D Y L N U M X C D S E E V
F C L L T O R L A U S A C F R
T I K Y R W X Q L A E Q H G B
E F T O E L I G A R F Y N S N
S J P H V K A E W F D Y A N J
```

AIRY	FLOATY	SANDY
BUOYANT	FRAGILE	SCANTY
CASUAL	GOSSAMER	SHADOWY
EASY	IMMATERIAL	SPONGY
ETHEREAL	LIGHT	THIN
FEATHERY	LOOSE	TRIFLE
FICKLE	PAPERY	WEAK
FLIMSY	POROUS	WEIGHTLESS

THE DRUIDS

```
S N S V P K R M N L C D S T E
U D T L X B A I Y I L A T S O
O N E O A G A H T V C S O E T
I A R F I H U L O R N R R I E
G W C C M M E T I L I F I R L
I H E A O C O F P T L D E P T
L S S P Q Z I D U S E Y S V S
E A S Q L C I A S R E M F B I
R C L R E U L M C I U V P F M
E R O Y A S G A B G W H O L V
G Y B M S U S H X O R R D R E
I S M H Z B H G N I L A E H G
F T Y K A O L C J N L C Z C N
I A S T D K A N C I E N T R E
Z L A Y N O M E R E C V Y Z J
```

ANCIENT	HOLLY	SACRED
ASH WAND	IMBOLC	SACRIFICE
CELTIC	LUGH	SAMHAIN
CEREMONY	MAGIC	SECRETS
CLOAK	MISTLETOE	STORIES
CRYSTAL	PRIEST	SYMBOLS
GROVES	RELIGIOUS	TEMPLE
HEALING	RITUALS	WISDOM

NATIONS OF THE WORLD

```
C C D H U R P Q M F S V K L D
O U K I Z M A F D A C S N N F
N G T R P H A I T I F F A K P
G E M A N I R U S R P L D O A
O G K F U L V Y A S T Z R R I
P A N A M A R N J O U T O W B
A B I C V I C X C R U R J A I
I O A S A E Q S N G Q L R N M
N N B L D H P Y A A K J G D A
A P N H G N S L T N S U D A N
U N F L N E P A L A D A N A C
H Q L R M M R T O C C O R O M
T Y L A Q E D I F A R G R I H
I L G T P Y G E A L Z H V R I
L S H I R P Q Y K L X K N D A
```

ALGERIA	ITALY	QATAR
ANDORRA	JORDAN	RUSSIA
CANADA	LITHUANIA	RWANDA
CONGO	MOROCCO	SCOTLAND
EGYPT	NAMIBIA	SUDAN
FRANCE	NEPAL	SURINAME
GABON	PANAMA	SYRIA
HAITI	PORTUGAL	YEMEN

IN THE SHED

```
H C N E B K R O W K H Z A J C
D S I H O S E P I P E S W V H
C R E T R E S T L E W P A L A
R Z G N C D S K C A S I S E R
E P O X A I I Y U F G D W A C
O L I R R C Z B S E O E O F O
S A L E E I O Y B H U R B B A
O N C S M T R O W E L S K L L
T T A I M N S A B M R D E O W
E F N L I E O V U M A V I W E
K O B I R D F O O D A L V E G
C O O T T O P C V R R B L R G
U D R R S R B W G O A K G E B
B Z S E G A V G B G K I A H T
Q M F F L O O T S P E T S H V
```

BAMBOO CANES	FORK	RODENTICIDE
BIRD FOOD	GRAVEL	SACKS
BOW SAW	HOSEPIPE	SPIDERS
BUCKET	LEAF BLOWER	STEPSTOOL
CHARCOAL	MALLET	STRIMMER
CREOSOTE	OILCAN	TRESTLE
DIBBER	PLANT FOOD	TROWEL
FERTILISER	RAKE	WORKBENCH

MOUNTAINS

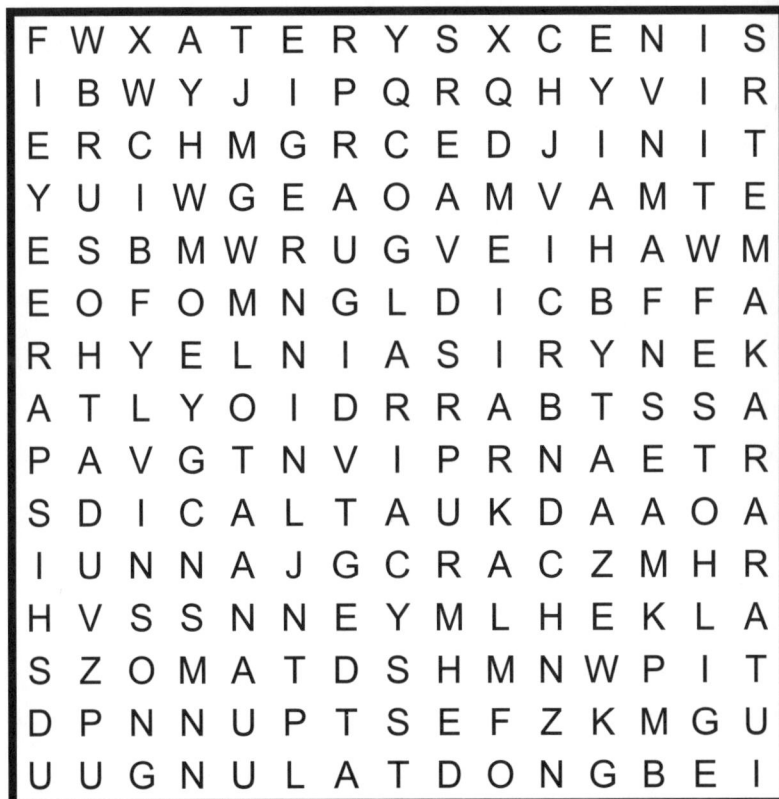

```
F W X A T E R Y S X C E N I S
I B W Y J I P Q R Q H Y V I R
E R C H M G R C E D J I N I T
Y U I W G E A O A M V A M T E
E S B M W R U G V E I H A W M
E O F O M N G L D I C B F F A
R H Y E L N I A S I R Y N E K
A T L Y O I D R R A B T S S A
P A V G T N V I P R N A E T R
S D I C A L T A U K D A A O A
I U N N A J G C R A C Z M H R
H V S S N N E Y M L H E K L A
S Z O M A T D S H M N W P I T
D P N N U P T S E F Z K M G U
U U G N U L A T D O N G B E I
```

ADAMS	EIGER	NANGA PARBAT
ARARAT	GONGGA	NUPTSE
ATHOS	HEKLA	SHISPARE
BOLIVAR	JANNU	SINAI
BRUCE	KAMET	TALUNG
CARMEL	LHOTSE	TIRICH MIR
CENIS	MANASLU	TRIVOR
DONGBEI	NANDA DEVI	VINSON

UTTERLY MAGICAL

```
P G L F G N I M R A H C I Z W
C N A W O N D E R F U L C L Y
M I R A C U L O U S N R V T V
J H U F A S C I N A T I N G G
C C T L A R T C E P S K A H F
I T A B D F A N C I F U L O I
T I N E E R I E O I A T Y S C
N W N S H C S N Q J D P N T T
A Q U V R W A K D P V E N L I
M I U D E R P R R P E P A Y O
O G N I Y N E E B L K P C L N
R D R F B A T T G G I A N V A
E D E H M E M E L F I N U V L
R Y A Y N Y R A D N E G E L A
M E L D R I T C H D B I B I L
```

CHARMING	FICTIONAL	SPECTRAL
DREAMY	GHOSTLY	UNCANNY
EERIE	IDEAL	UNNATURAL
ELDRITCH	INVENTED	UNREAL
ELFIN	LEGENDARY	VISIONARY
FANCIFUL	MIRACULOUS	WEIRD
FASCINATING	PRETEND	WITCHING
FEY	ROMANTIC	WONDERFUL

PLENTY OF ROOM

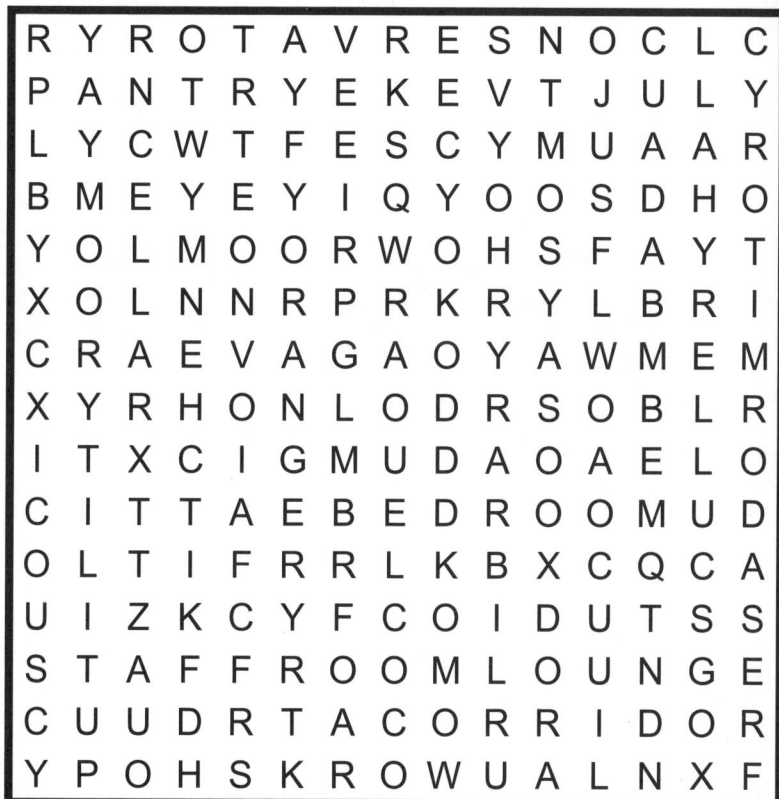

```
R Y R O T A V R E S N O C L C
P A N T R Y E K E V T J U L Y
L Y C W T F E S C Y M U A A R
B M E Y E Y I Q Y O O S D H O
Y O L M O O R W O H S F A Y T
X O L N N R P R K R Y L B R I
C R A E V A G A O Y A W M E M
X Y R H O N L O D R S O B L R
I T X C I G M U D A O A E L O
C I T T A E B E D R O O M U D
O L T I F R R L K B X C Q C A
U I Z K C Y F C O I D U T S S
S T A F F R O O M L O U N G E
C U U D R T A C O R R I D O R
Y P O H S K R O W U A L N X F
```

ATTIC	HALL	SHOWROOM
BEDROOM	KITCHEN	SITTING ROOM
CELLAR	LARDER	STAFFROOM
CLASSROOM	LIBRARY	STOCKROOM
CONSERVATORY	LOUNGE	STUDIO
CORRIDOR	ORANGERY	STUDY
DORMITORY	PANTRY	UTILITY ROOM
FOYER	SCULLERY	WORKSHOP

53

JOBS

H	C	R	E	C	I	F	F	O	E	C	I	L	O	P
E	B	X	M	M	Z	Z	A	E	X	N	O	M	X	S
E	C	H	E	F	N	P	I	L	O	T	U	A	A	U
Y	I	Y	J	O	R	E	T	N	I	R	P	R	C	S
N	T	N	A	T	S	I	S	S	A	P	O	H	S	H
P	U	T	K	R	C	K	S	Q	H	M	A	K	F	E
N	Z	O	O	K	E	E	P	E	R	P	A	A	M	R
G	O	I	J	D	R	K	K	E	L	A	R	E	L	O
C	Q	W	I	T	E	P	N	A	A	M	B	O	S	T
X	V	T	C	F	T	G	I	I	H	U	T	B	Y	U
R	O	A	H	S	I	N	V	A	T	D	L	F	I	T
R	E	Y	P	N	R	S	N	H	T	J	M	D	R	E
Q	D	R	E	M	W	D	S	Y	V	N	R	Q	M	Z
S	Q	E	A	X	U	G	K	N	E	I	U	A	D	C
U	R	X	G	C	R	E	L	I	T	J	N	A	R	U

ACTRESS	FARMHAND	SHOP ASSISTANT
CARER	NUN	TILER
CHAPLAIN	NURSE	TINKER
CHEF	PILOT	TUTOR
COACH	POLICE OFFICER	USHER
COOK	PRINTER	VET
EDITOR	RABBI	WRITER
ENGINEER	SEAMAN	ZOOKEEPER

58

```
H N G Y S M W Z B S I Q Z G N
N O O D J F U E J S S S V E I
O Z L T R I B N Q O V B S K T
S A D V R Q M J G R H D S J H
T M E V S Q N R L O N J U A R
Y A N N Z R F T O U P N W E U
P U H L E M A C M L G A O B O
U G I I M C S A Z L I N R C V
N K N S T B A U E I A A F K A
N R D C I I C S E C I P S Y E
A O M O U J N N E W W O R L D
C O R T E S I N E S N A N Z N
V U E T U R A J W G T R A D E
Y E L N A T S H U X W O E M P
C I C C U P S E V I T A N J J
```

AMAZON	INCAS	SAILOR
AMUNDSEN	JUNGLE	SCOTT
CAMEL	MUNGO PARK	SPICES
CANOE	NANSEN	STANLEY
CORTES	NATIVES	TAHITI
ENDEAVOUR	NEW WORLD	TRADE
GOLDEN HIND	PATRON	UJIJI
HAWAII	ROSS	VESPUCCI

TYPES OF BUILDINGS

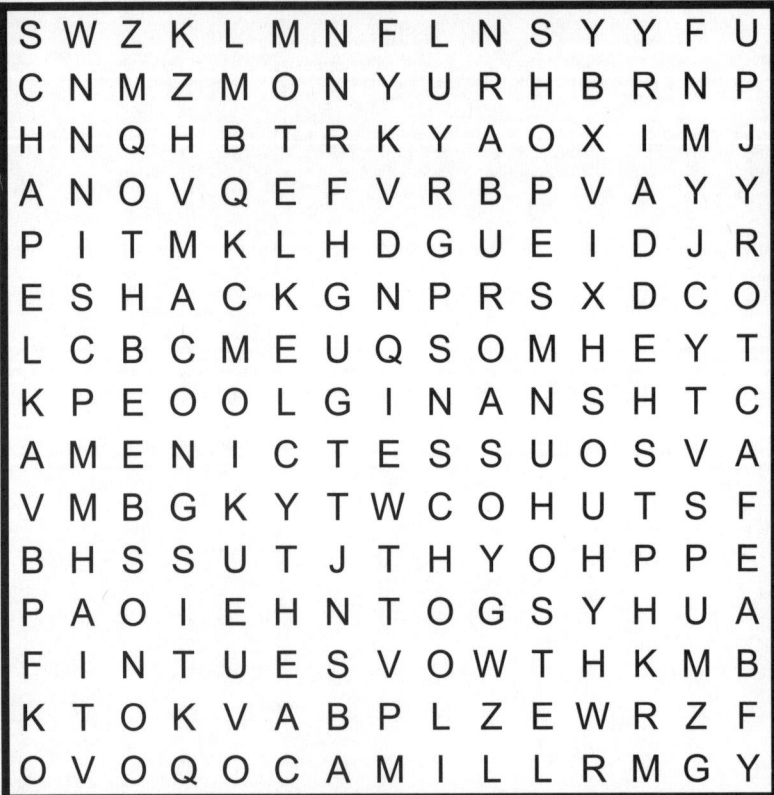

```
S W Z K L M N F L N S Y Y F U
C N M Z M O N Y U R H B R N P
H N Q H B T R K Y A O X I M J
A N O V Q E F V R B P V A Y Y
P I T M K L H D G U E I D J R
E S H A C K G N P R S X D C O
L C B C M E U Q S O M H E Y T
K P E O O L G I N A N S H T C
A M E N I C T E S S U O S V A
V M B G K Y T W C O H U T S F
B H S S U T J T H Y O H P P E
P A O I E H N T O G S Y H U A
F I N T U E S V O W T H K M B
K T O K V A B P L Z E W R Z F
O V O Q O C A M I L L R M G Y
```

BAKERY	HUT	OASTHOUSE
BANK	IGLOO	PUB
BARN	INN	SCHOOL
CHAPEL	KIOSK	SHACK
CINEMA	MAISONETTE	SHED
DAIRY	MILL	SHOP
FACTORY	MOSQUE	TOWER
HOSTEL	MOTEL	UNIVERSITY

POPULAR COLLECTIBLES

```
S I J A F C O S L O T S I P J
N Z O A O S P H O T O S Y J V
I G N M T E E D I B B Q Z O B
O S I A F S R A E B Y D D E T
C C M L K A E D F S J B R S Z
S P A Q V V T O J B U O R Z U
S G S P L S H P A R G O T U A
S G P N C D K S D Y S K F S S
H N J L O A P Y V M Y S E S L
S E E L A O M V I X L H D N A
I S L P O T T E R Y C T A C D
L S M N I Q E R O T R O L J E
V Q S U G T Z S A S N M R B M
E E X L G N F W O C O C S U H
R C L T L S M P E U Y A G U Q
```

AUTOGRAPHS	FLAGS	SILVER
BOOKS	MEDALS	SPOONS
CAMEOS	MOTHS	STAMPS
CARTOONS	MUGS	TEDDY BEARS
COINS	PHOTOS	TOBY JUGS
COMICS	PISTOLS	TOYS
DOLLS	PLATES	VASES
FANS	POTTERY	WATCHES

MAKE YOURSELF BEAUTIFUL

```
M F Q Q C S R O S S I C S R C
L M A S C A R A J B D X I O O
H X E C R G R O O M I N G L S
C S Z M I E L H S I S I I L M
L T I W U A N Q D E N C I E E
E K E L I F L I A N N J M R T
A N C U O B R G L E H Q I S I
N H R A T P N E P E S L R U C
S C E F P I L W P B Y C R S S
E E A H H D O I R E O E O A W
R B M S S R U U A M A V R E F
M T A F B A S M B N E U W H M
E W S E K H L I T S I L Y T S
Z Q Y E E M N O T I N T I N G
T E L S H G M A N I C U R E T
```

BRUSHES	FACIAL	PERFUME
CLEANSER	GROOMING	RINSE
COMBING	MANICURE	ROLLERS
COSMETICS	MASCARA	SALON
CREAM	MIRROR	SCISSORS
CURLS	MUDPACK	STYLIST
EYEBROW PENCIL	NAIL FILE	TINTING
EYELINER	NAIL POLISH	WASHING

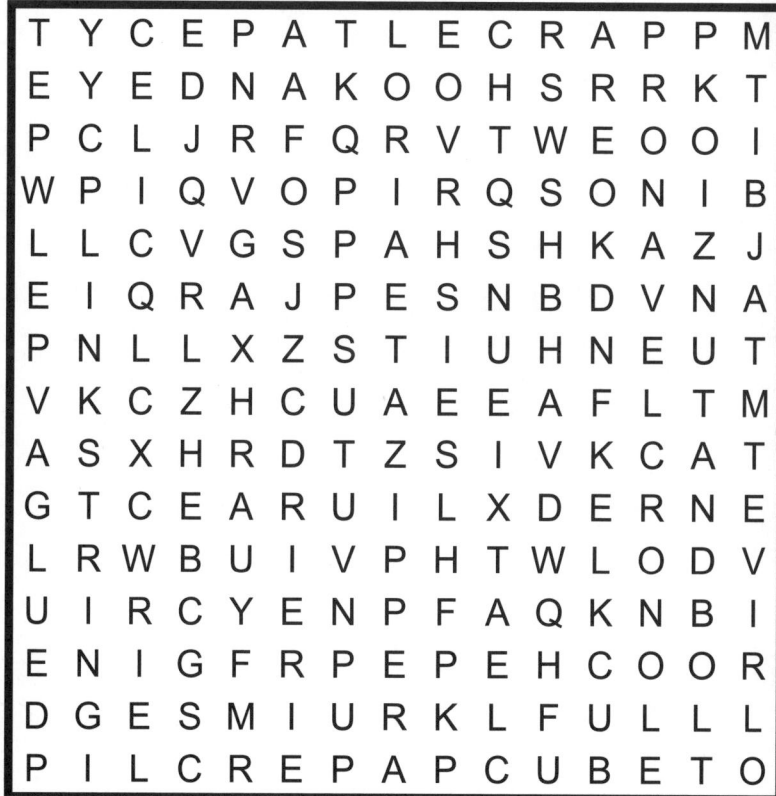

```
T Y C E P A T L E C R A P P M
E Y E D N A K O O H S R R K T
P C L J R F Q R V T W E O O I
W P I Q V O P I R Q S O N I B
L L C V G S P A H S H K A Z J
E I Q R A J P E S N B D V N A
P N L L X Z S T I U H N E U T
V K C Z H C U A E E A F L T M
A S X H R D T Z S I V K C A T
G T C E A R U I L X D E R N E
L R W B U I V P H T W L O D V
U I R C Y E N P F A Q K N B I
E N I G F R P E P E H C O O R
D G E S M I U R K L F U L L L
P I L C R E P A P C U B E T O
```

ADHESIVE	LINK	ROPE
BUCKLE	NAIL	SCREW
CHAIN	NUT AND BOLT	STRAP
CLASP	PAPERCLIP	STRING
CLEAT	PARCEL TAPE	TACK
CURTAIN HOOK	PRESS STUD	VELCRO
HOOK AND EYE	PVA GLUE	VICE
KNOT	RIVET	ZIPPER

MIGHTY MEATY

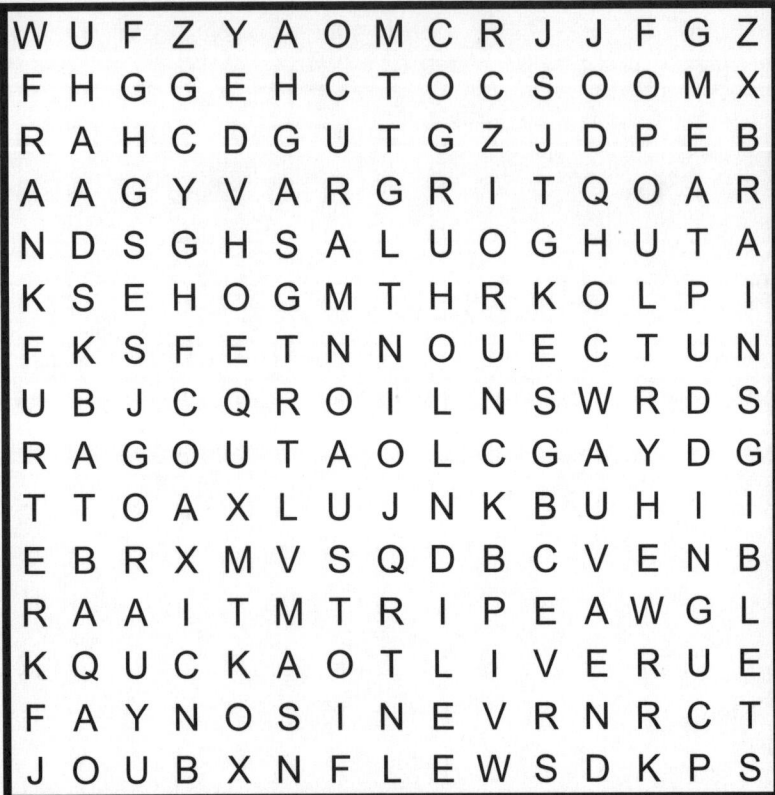

```
W U F Z Y A O M C R J J F G Z
F H G G E H C T O C S O O M X
R A H C D G U T G Z J D P E B
A A G Y V A R G R I T Q O A R
N D S G H S A L U O G H U T A
K S E H O G M T H R K O L P I
F K S F E T N N O U E C T U N
U B J C Q R O I L N S W R D S
R A G O U T A O L C G A Y D G
T T O A X L U J N K B U H I I
E B R X M V S Q D B C V E N B
R A A I T M T R I P E A W G L
K Q U C K A O T L I V E R U E
F A Y N O S I N E V R N R C T
J O U B X N F L E W S D K P S
```

BACON	GOULASH	RABBIT
BRAINS	GRAVY	RAGOUT
CRACKLING	HOT DOG	RASHER
FAGGOT	JOINT	SCOTCH EGG
FRANKFURTER	LIVER	SKIRT
GAMMON	MEAT PUDDING	TONGUE
GIBLETS	OXTAIL	TRIPE
GIGOT	POULTRY	VENISON

```
B E D S I J K R R S G Q U F M
E R O I U B S Q B S T K N D U
T E A G P O F D N O M A I D N
U V H V N E U Z I R L D E U Y
L E L I E I R N Y L E E T S I
O S C B E Y X T E Y O C I H E
S T O U T I D E N R N S N A L
E N I N I N A E L I T O A R D
R E I U N D D L R P Z S R D I
P L F H I U A G A U R H G N N
F B L G F R M R G C O E U E G
Y A I G E A A M O J I M P S S
R R F J D T N G I C B O R S V
A U P X X E T F F S K L T A O
G D T L U C I F F I D Y F S S
```

ADAMANT	GRANITE	ROCKY
ARMOURED	HARDNESS	SEVERE
BRAVE	INDURATE	SOLID
DEFINITE	INTREPID	STEELY
DIAMOND	NUMB	STOICAL
DIFFICULT	PERPLEXING	STOUT
DURABLE	RESOLUTE	STRENUOUS
FLINTY	RIGID	UNYIELDING

WORDS OF LOVE

```
Y D U E H H N K S N P M E E Q
B J Y Y S Y W W G N I L R A D
C A C U H O N E Y I Z L H K Y
U J R U R O M A N C E L Q K G
T C C S P C V C R L M O A J R
I C H E R I S H U T C V M I L
E I W E G D D T R U E E J D E
P C Z S N F E S Q C L R E T G
G B S W I H E L U I M G O G N
S I U L T A U D I N A D F R A
K O E U A R M J I G E N M O L
P V R O D M E J N R H V U O D
E C N E L O V E N E B T D M Y
H F C C K N B U C C V I S F H
S N R A E Y J O Y O U L F X X
```

ANGEL	DATING	IDOL
BENEVOLENCE	DELIGHT	KISS
BRIDE	DOTE	LOVER
CHERISH	ENGAGED	ROMANCE
CRUSH	EROS	TRUE
CUPID	GROOM	VENUS
CUTIE	HARMONY	WORSHIP
DARLING	HONEY	YEARN

AFRICAN CAPITALS

```
R E P Z W E S B S H O L P W U
F N B R P I L R Y I J T W X O
K O E N E U N N E U N A W Y T
N R G Y S T A D H I I U E A U
Z A A A S I O S H L G M T R P
Q B K J R A I R O O A L Q U A
E A X O U D N P I I E P A B M
R G B D A B I E N A T K A M V
A I Z G A R A F M K B F S U B
R Z O A T M A D N A U L A J A
A M J A O N C K G D J E H U N
H V B D S Q C G Q W E D S B J
N A O K H A R T O U M D N T U
R D Q U H E A X L O M E I D L
K A M P A L A Y W C T V K K B
```

ABUJA	KAMPALA	NAIROBI
ACCRA	KHARTOUM	N'DJAMENA
ALGIERS	KINSHASA	NIAMEY
BANJUL	LOME	PRETORIA
BUJUMBURA	LUANDA	RABAT
DODOMA	LUSAKA	TRIPOLI
GABARONE	MAPUTO	TUNIS
HARARE	MOGADISHU	WINDHOEK

CARTOON CHARACTERS

```
C R D X A T C Y M V M J P K H
D G A M M A B M M A B N O S O
M W I W Q K W Z B A O L O K O
E R O P J D U L M L T Y B E P
B S M N Y W U B A C T O Y R E
E D U A D K I M B G E E T A H
T A J O G E R Y B O P V T E T
T F R E M O R O Z O P I E B E
Y F E Q R Y O W P F E L B I I
R Y G L Q R T S O Y G O O G N
U D G R I G Y H N M P N O O N
B U I E H X M G G O A O B Y I
B C T H U M P E R I O N O D W
L K W Z Z I L G W O M P O R H
E W D B X S A W G A N Z Y A D
```

BAMM-BAMM	FELIX	POPEYE
BAMBI	GEPPETTO	PORKY PIG
BETTY BOOP	GOOFY	SNOOPY
BETTY RUBBLE	JERRY	THUMPER
BOO BOO	MIGHTY MOUSE	TIGGER
DAFFY DUCK	MOWGLI	WINNIE-THE-POOH
DROOPY	MR MAGOO	WONDER WOMAN
DUMBO	OLIVE OYL	YOGI BEAR

ARCHERY TEST

```
H Y I A W T M A R K T Q T N Q
C I L E F B B F H T S H H M E
T U Y A E S O O L E A G G L U
O I H R L G J W U G F Y I G P
N S N U O P T V M R M P S L P
U J F L E O Z J A A L K F R E
Y B K K R D M T H T N A O W R
E B E Q E J S C D B K Q E R L
S A U L S I S P L A T E N E I
T E R T L A V B O Z R X I R M
R X I L T Y L R H C X D L E B
I N A B D S B U O P R O P C F
N B O A R C H E R U A L D A C
G K L C C H J G W F N H D R P
Q J X P K Q U I V E R D N B X
```

ARCHER	HOLD	QUIVER
ASCHAM	LINE OF SIGHT	ROUND
BALLISTA	LOOSE	SHAFT
BELLY	MARK	STRING
BOWMAN	NOCK	TARGET
BRACER	NOTCH	TORQUE
BUTTS	PILE	UPPER LIMB
FAST	PLATE	YEW

BONES OF THE BODY

```
G R Y L A R T E U Q I R T A Z
B M V A U R R L M X L A M V E
A N L U E E A I K F L R O F S
L B W G L M P V K U O T U I Z
R L P C C M E N S F O S B F N
A R U Q I A Z A I V A U I X E
J I W K S H O S V C P B T S N
Y B B O S E I L R W U F U U P
C S S I O P D U E L K N A I E
L U N A T E M I A H F H G D L
S E G N A L A H P I C A D A V
E V M A X I L L A F E M U R I
S P B C R Q W L K L T A P G S
H I L I U M M U N R E T S D V
L Q Q U L G W E O A W E U Z G
```

ANKLE	MAXILLA	SACRUM
ANVIL	OSSICLE	SKULL
FEMUR	PELVIS	STERNUM
FIBULA	PHALANGES	TALUS
HAMATE	PISIFORM	TIBIA
HAMMER	PUBIS	TRAPEZOID
ILIUM	RADIUS	TRIQUETRAL
LUNATE	RIBS	ULNA

BODY LANGUAGE

```
S  L  S  F  W  R  Z  D  E  U  T  T  Q  T  D
H  G  U  A  L  I  K  L  J  P  G  C  B  E  J
R  S  V  I  I  L  T  Y  N  L  I  R  F  G  K
U  E  G  R  Q  S  L  B  A  Q  O  G  B  D  L
G  P  S  K  E  S  Q  R  Z  G  A  Z  E  I  H
Y  O  N  N  T  M  E  O  M  O  W  T  E  F  K
A  I  M  R  X  E  T  Y  E  C  N  A  L  G  U
W  N  U  E  T  A  L  U  C  I  T  S  E  G  U
N  T  L  H  T  V  T  I  C  L  Q  D  C  S  E
R  E  B  L  U  S  H  U  M  K  S  E  L  Q  C
Y  Q  K  H  C  T  A  R  C  S  I  O  K  P  A
G  K  P  A  H  Y  I  Q  D  O  U  R  O  Q  M
Y  R  F  Z  H  D  R  N  H  C  G  U  R  B  I
O  S  I  Q  D  S  E  C  H  T  T  B  Z  C  R
D  R  C  N  Y  B  I  K  Y  B  L  I  N  K  G
```

BEND	GLARE	SHAKE
BLINK	GRIMACE	SHRUG
BLUSH	GRIN	SLOUCH
CRY	LAUGH	SMILE
FIDGET	NESTLE	STRUT
GAZE	POINT	WAVE
GESTICULATE	POUT	WINK
GLANCE	SCRATCH	YAWN

KNITTING SQUARE

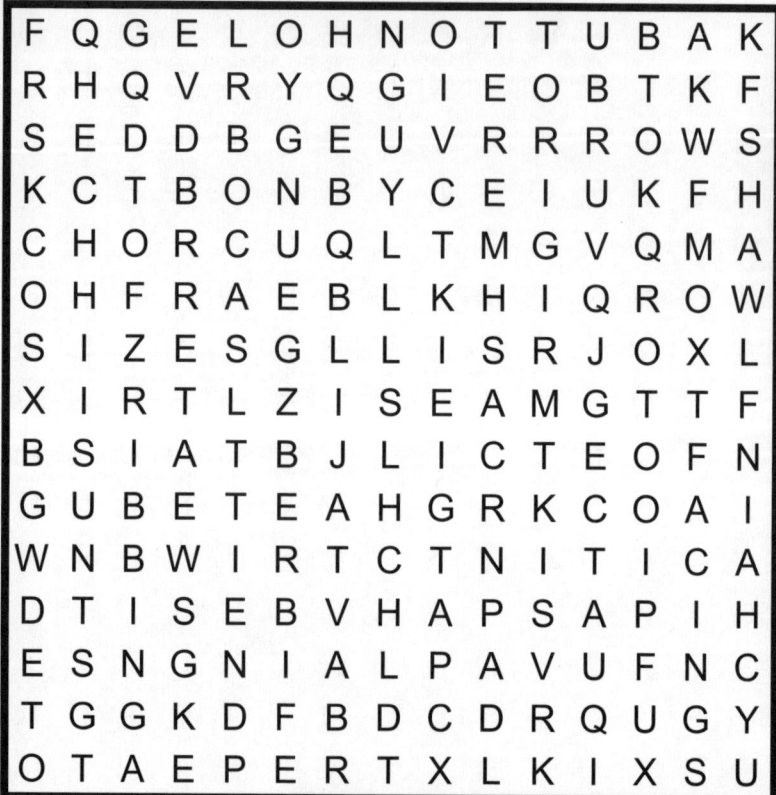

```
F Q G E L O H N O T T U B A K
R H Q V R Y Q G I E O B T K F
S E D D B G E U V R R R O W S
K C T B O N B Y C E I U K F H
C H O R C U Q L T M G V Q M A
O H F R A E B L K H I Q R O W
S I Z E S G L L I S R J O X L
X I R T L Z I S E A M G T T F
B S I A T B J L I C T E O F N
G U B E T E A H G R K C O A I
W N B W I R T C T N I T I C A
D T I S E B V H A P S A P I H
E S N G N I A L P A V U F N C
T G G K D F B D C D R Q U G Y
O T A E P E R T X L K I X S U
```

BLANKET	FACING	REPEAT
BUTTONHOLE	FAIR ISLE	RIBBING
CABLE	FIBRE	ROWS
CASHMERE	GARTER	SHAWL
CAST OFF	HOBBY	SIZES
CHAIN	PICOT	SOCKS
DOUBLE	PLAIN	SWEATER
EDGING	PURL	TWIST

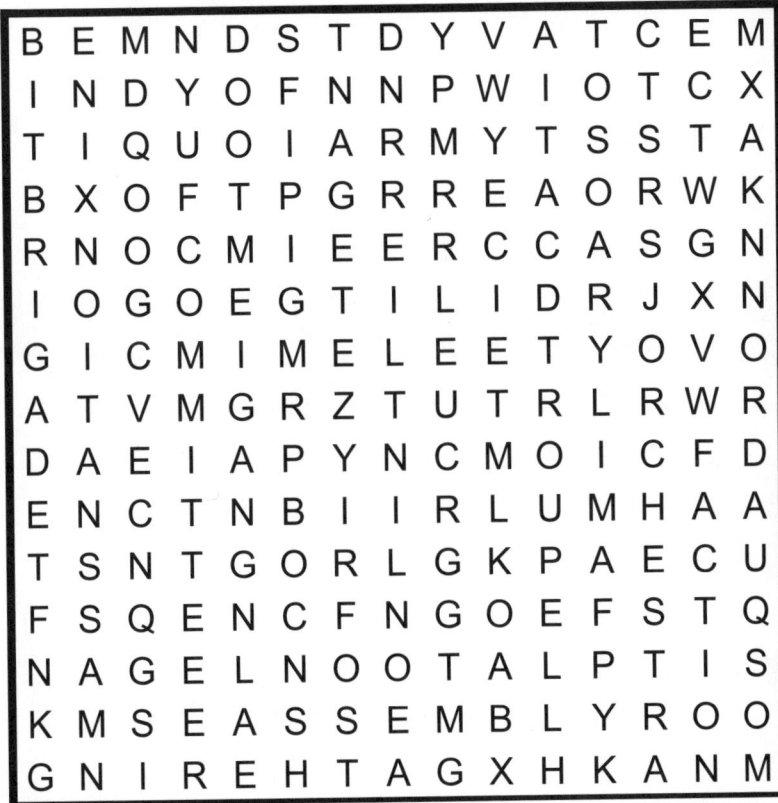

```
B E M N D S T D Y V A T C E M
I N D Y O F N N P W I O T C X
T I Q U O I A R M Y T S S T A
B X O F T P G R R E A O R W K
R N O C M I E E R C C A S G N
I O G O E G T I L I D R J X N
G I C M I M E L E E T Y O V O
A T V M G R Z T U T R L R W R
D A E I A P Y N C M O I C F D
E N C T N B I I R L U M H A A
T S N T G O R L G K P A E C U
F S Q E N C F N G O E F S T Q
N A G E L N O O T A L P T I S
K M S E A S S E M B L Y R O O
G N I R E H T A G X H K A N M
```

ARMY	CROWD	NATION
ASSEMBLY	FACTION	ORCHESTRA
BRIGADE	FAMILY	PLATOON
CASTE	GANG	REGIMENT
CIRCLE	GATHERING	SOCIETY
COMMITTEE	LEGION	SQUADRON
COMPANY	MASS	TRADE UNION
COTERIE	MULTITUDE	TROUPE

KEEPING BEES

```
S V Z G F A B H M G W N I X E
G F N X S G E M B Z U J E A P
N N V E E M J X O M J W R W B
I B T E I U O I N C M T T E B
M I F B D R O N E E U Q F J Y
M X Z S G N I W C Y U X X E Y
U P B V S Q A H T G J D N F R
H P U T U E K F A Z Q O E M A
S S S Z Z P V S R F H O M L I
W E F H Z I B O L V S R A A P
N O F P U Y N O L O C B R I A
D R A O B X W V F G H M F C P
C S G G E E Q E O D W I S O U
T M S Q R B E I O G B B V S P
N F T S U M V L D P U T G E G
```

APIARY	FLOWERS	NECTAR
BOARD	FOOD	NESTS
BROOD	FRAME	PUPA
BUZZ	GLOVES	QUEEN
COLONY	HIVE	SOCIAL
COMB	HONEY	VEIL
DRONE	HUMMING	WAX
EGGS	MITES	WINGS

BUZZWORDS

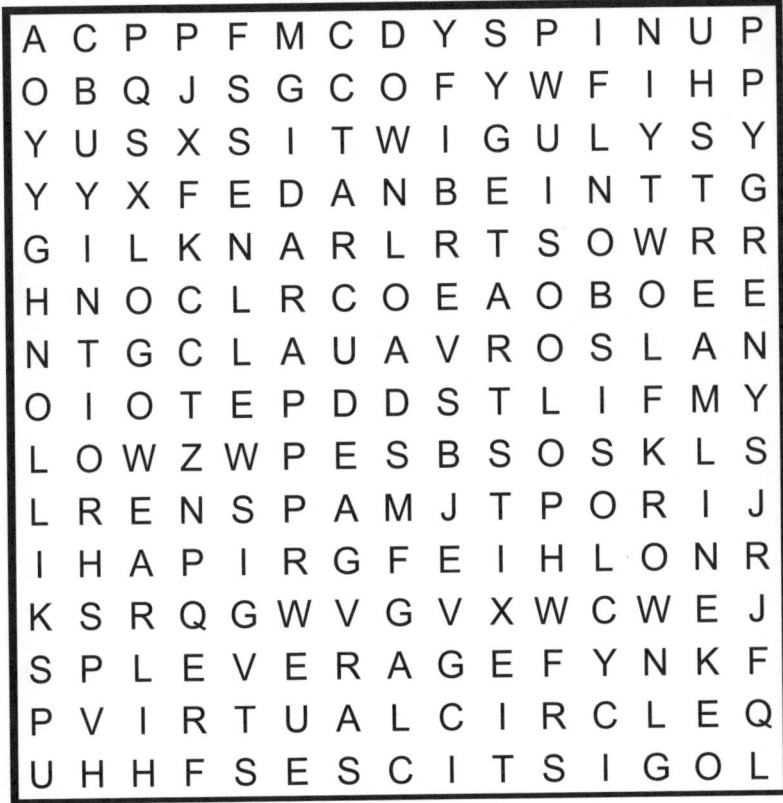

```
A C P P F M C D Y S P I N U P
O B Q J S G C O F Y W F I H P
Y U S X S I T W I G U L Y S Y
Y Y X F E D A N B E I N T T G
G I L K N A R L R T S O W R R
H N O C L R C O E A O B O E E
N T G C L A U A V R O S L A N
O I O T E P D D S T L I F M Y
L O W Z W P E S B S O S K L S
L R E N S P A M J T P O R I J
I H A P I R G F E I H L O N R
K S R Q G W V G V X W C W E J
S P L E V E R A G E F Y N K F
P V I R T U A L C I R C L E Q
U H H F S E S C I T S I G O L
```

B-TO-B	LEVERAGE	SURGE
BUY-IN	LOGISTICS	SYNERGY
COOL	LOGOWEAR	UPSKILL
CYCLOSIS	ME PLC	VERBIFY
DOWNLOAD	PARADIGM	VIRTUAL CIRCLE
EDUCRAT	SPAM	WELLNESS
EXIT STRATEGY	SPIN-UP	WIN-WIN
GRASS ROOTS	STREAMLINE	WORKFLOW

CAPITAL CITIES

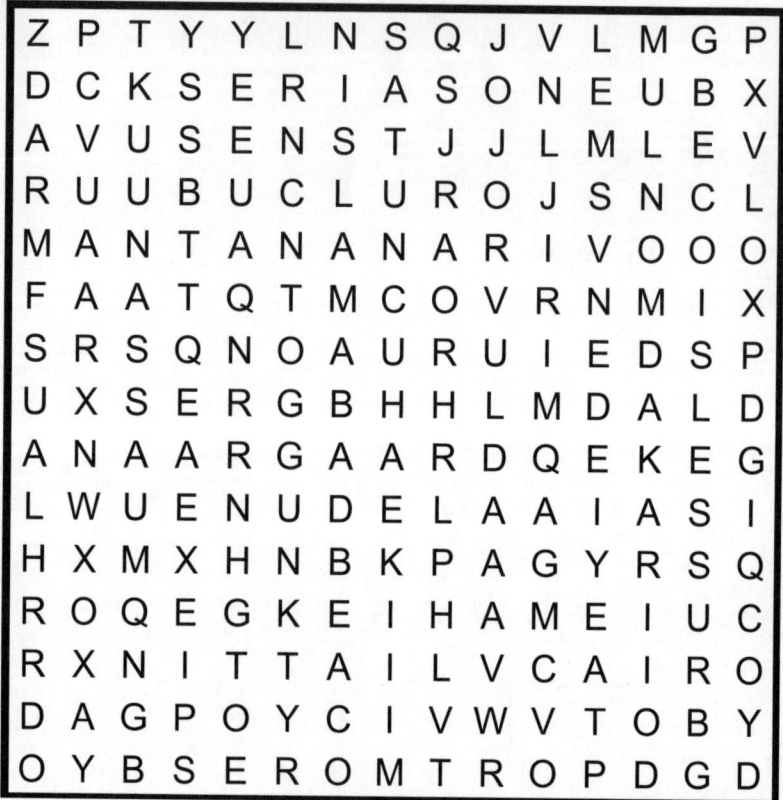

```
Z P T Y Y L N S Q J V L M G P
D C K S E R I A S O N E U B X
A V U S E N S T J J L M L E V
R U U B U C L U R O J S N C L
M A N T A N A N A R I V O O O
F A A T Q T M C O V R N M I X
S R S Q N O A U R U I E D S P
U X S E R G B H H L M D A L D
A N A A R G A A R D Q E K E G
L W U E N U D E L A A I A S I
H X M X H N B K P A G Y R S Q
R O Q E G K E I H A M E I U C
R X N I T T A I L V C A I R O
D A G P O Y C I V W V T O B Y
O Y B S E R O M T R O P D G D
```

ANTANANARIVO	ISLAMABAD	OSLO
APIA	KIGALI	PORT MORESBY
BERLIN	LOME	QUITO
BERN	MALABO	RIYADH
BRUSSELS	MASERU	ROME
BUENOS AIRES	NASSAU	SUVA
CAIRO	NOUMEA	TUNIS
DAKAR	NUUK	VIENNA

NUTS AND SEEDS

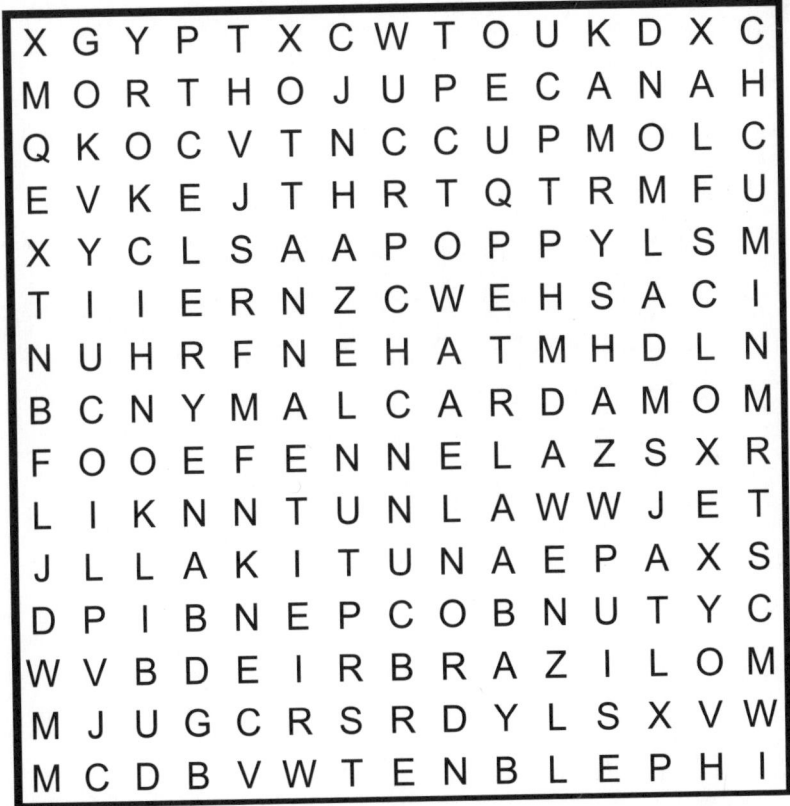

```
X G Y P T X C W T O U K D X C
M O R T H O J U P E C A N A H
Q K O C V T N C C U P M O L C
E V K E J T H R T Q T R M F U
X Y C L S A A P O P P Y L S M
T I I E R N Z C W E H S A C I
N U H R F N E H A T M H D L N
B C N Y M A L C A R D A M O M
F O O E F E N N E L A Z S X R
L I K N N T U N L A W W J E T
J L L A K I T U N A E P A X S
D P I B N E P C O B N U T Y C
W V B D E I R B R A Z I L O M
M J U G C R S R D Y L S X V W
M C D B V W T E N B L E P H I
```

ALMOND	CHESTNUT	HAZELNUT
ANISE	COBNUT	HICKORY
ANNATTO	CONKER	PEANUT
BRAZIL	CUMIN	PECAN
CARAWAY	DILL	PINE NUT
CARDAMOM	FENNEL	POPPY
CASHEW	FILBERT	SESAME
CELERY	FLAX	WALNUT

MAKE AN ESCAPE

```
O J E K P U E L F F O E K A T
S L L M T U O L I A B H U E E
L U U A T T C U D A E X X T V
I J D K E L O P E D T H J J I
P U E E B I J R R O A N J J K
A K R O S H E K E U Z D R Z S
W G O F Y I G S S P N O E U O
A E R F A B D T C X R O G K T
Y T I J W L O E E A E A F Y S
T A V O I D D P S Q T N C F B
I W E X J P A V N T R T I S K
G A V H M C P W T B E K E A A
E Y A K S H E U U W A P R R E
L E D E F E C T S I T Z A D R
V R E W M N Y W W S B Z G G B
```

AVOID	EVADE	SCARPER
BAIL OUT	EXHAUST	SCATTER
BREAK	GET AWAY	SIDESTEP
DEFECT	JUMP	SKEDADDLE
DODGE	LEG IT	SKIVE
ELOPE	MAKE OFF	SLIP AWAY
ELUDE	RETREAT	TAKE OFF
ESCAPE	RUN OFF	TURN TAIL

VARIETIES OF GRAPE

```
E O C E H R E N F E L S E R T
K N T K I C E V I K Y F M C H
Z A I W U B Z D F R B J K O N
C I S D B M L A A X U R E R M
P F R I A A E H N U A E R T Y
I A O E E C R R Y I L K N E M
C L O P N R S B L A V Y E S L
O B W R I N G U E O M R R E M
L A W K T N A E M R T A O H A
I R M R N E O S R Z A X G C L
T I K T A G G T S R Y C V A M
M N A R C P H A G U E M E N S
Z O U L L U C S Q R O B S E E
X I G X G N I L S E I R E R Y
V I N S A V A G N I N S P G U
```

ALBARINO	GRENACHE	PINOT GRIS
BARBERA	KERNER	RIESLING
BUAL	MALMSEY	ROUSSANNE
CORTESE	MERLOT	SAVAGNIN
CORVINA	MUSCADINE	SEYVAL
EHRENFELSER	NEBBIOLO	SIERGERREBE
FIANO	ORTEGA	SYRAH
GAMAY	PICOLIT	VIURA

THE NOBILITY

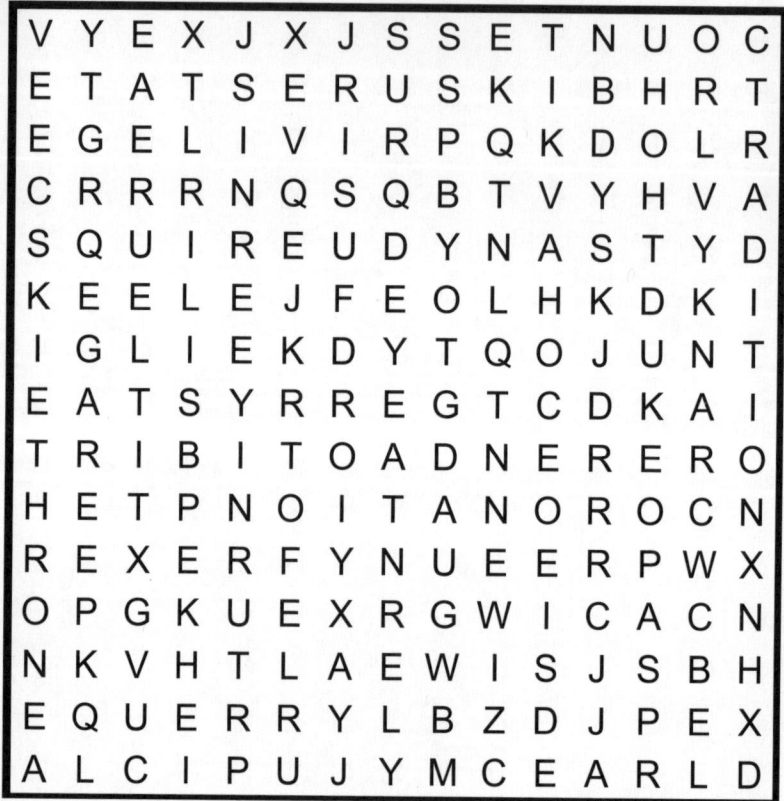

```
V Y E X J X J S S E T N U O C
E T A T S E R U S K I B H R T
E G E L I V I R P Q K D O L R
C R R R N Q S Q B T V Y H V A
S Q U I R E U D Y N A S T Y D
K E E L E J F E O L H K D K I
I G L I E K D Y T Q O J U N T
E A T S Y R R E G T C D K A I
T R I B I T O A D N E R E R O
H E T P N O I T A N O R O C N
R E X E R F Y N U E E R P W X
O P G K U E X R G W I C A C N
N K V H T L A E W I S J S B H
E Q U E R R Y L B Z D J P E X
A L C I P U J Y M C E A R L D
```

BARON	EARL	REALM
CORONATION	EQUERRY	ROYAL
COUNTESS	ESTATE	RULER
CROWN	ETIQUETTE	SQUIRE
DESCENDED	GENTRY	THRONE
DIGNITY	PEERAGE	TITLE
DUKE	PRIVILEGE	TRADITION
DYNASTY	RANK	WEALTH

HOUSEBUILDING

```
B S D S M F S R O O L F K G B
O L I C T G O Y N S O S S E N
I L N E Y S S U K E V H A N E
T A I I T T I C N S H M V V X
A W N L A D I O E D S K P W B
P U G I K R E C J G A R D E N
O S R N B O I Z I Y S T R O Z
N E O G J V A B T R E A I F N
E L O K R E V I R D T P P O J
H I M E Q D V L S R U C M V N
C T S C J A L R O R W Y E I G
T F K L C F O M L U I A V L A
I O W Q A O M I A Z N H T D E
K O S B D B N G A R A G E E Z
Z R N I K S S M O O R D E B R
```

BEAMS	ELECTRICITY	MORTAR
BEDROOM	FLOORS	PATIO
BRICKS	FOUNDATION	PURLINS
CAVITY	GARAGE	ROOF TILES
CEILING	GARDEN	SERVICES
DINING ROOM	JOISTS	SLABS
DOORS	KITCHEN	WALLS
DRIVE	LOUNGE	WATER

YELLOW SHADES

```
C B C R H N K D D R A T S U M
Z X A N T H O U S R T U E L O
I O C U N I N M R W N U Y I R
C E Z N O R B E E F S R D D P
A L O Y O F B H L L A S P O I
T X X C M M Y O E N A W P F M
E A K A A F W W A F C A E F E
R K E V L E T C F Z Z R G A N
P L Y H R F D R G J C T G D T
I V O F W O O L T M P S Y G U
L G P M Y N E M O R H C O E N
L S E L P A N C D G P L L Z S
A B L S F L H S G M D W K I C
R P R I M R O S E E N L U A U
Z N L E E A N A N A B U O M G
```

AMBER	EGG YOLK	OLD GOLD
BANANA	FLAX	ORPIMENT
BRONZE	GOLDEN	PRIMROSE
CANARY	LEMON	SAFFRON
CATERPILLAR	MAIZE	STRAW
CHROME	MUSTARD	SUNFLOWER
CORN	NAPLES	WHEAT
DAFFODIL	OCHRE	XANTHOUS

```
C M R O F I N U M Y S D R I E
R Y J F E V H A C P E T S C T
O L N L F P G F Z B T X I S D
S J A S A P E V D J O D A E R
S H C T I B B A R P N H R Y A
W C I E A L M R R N C P B E O
O Y L Y Z D E I V L I H E S B
R V E N G I N N D C S J Z L R
D S P E F T E A T O U F Q L E
N I U G N E P U P M M X P U P
W O C A R T R U D X O I E B P
Y F Q T U E F X Z G C V N D A
P D J I M J I M L O T K I O L
G Y P V E P L T N X N Z D E C
P I M E L X M S K U N K N J W
```

BULL'S-EYES	LEMUR	PICTURE
CLAPPERBOARD	MAGPIE	PRINT
COW	MUSIC NOTES	RABBIT
CROSSWORD	NEGATIVE	SILENT MOVIE
DICE	PANDA	SKUNK
DOMINO	PEARLS	UNIFORM
FILM	PELICAN	WHALE
ICONS	PENGUIN	ZEBRA

LADDERS

```
J G L E A Z S J F B Y V B P E
G E Y S E U C G N I D L O F I
A T P G I R A T L I N E T Y A
N R J T E D L E E B Y O N E N
G I L P G O E G T A L S N K Y
W E O R F X C V Q I B T J N R
A R K T F E N Z P O D R O O F
Y F R U I T P I C K I N G M S
K A E R I A L A Q V L K U T P
Y I S M F Y J J A N O X E E K
D E T A L U C I T R A R T X Z
K F I C D F E X T E N S I O N
C E L H H P L A T F O R M Q B
A G E G S E K T H O O K I L D
J F O K Y J N Y R A R B I L L
```

AERIAL	JACK	RATLINE
ARTICULATED	JACOB'S	ROOF
ETRIER	KITCHEN	ROPE
EXTENSION	LIBRARY	SCALE
FOLDING	LOFT	SIDE
FRUIT-PICKING	MONKEY	STEP
GANGWAY	PILOT	STERN
HOOK	PLATFORM	STILE

```
S F I H Z K X N A H T E R O M
S E S T O D C K D O K S T A D
A A Q Q R B Z I O O G N M B A
H F C U N S B C T K I M X J S
D T L R A R P E Z E O R X F E
P N C V A L K H U C L L E N E
E N A C U L S D T Q K X O P R
R D E S O S L R A S I L N N G
C C L I R L Z O F S O L P S E
E O R I S E C X D C H F B S D
N M U L T I P L I C A T I O N
T M Q G A G N M B B N R R R U
I E G X H Q H S A L S U R C O
P K R A M N O I T S E U Q O P
M I M U S U N I M W H S Y O W
```

AMPERSAND

ARROW

BRACE

COLON

COMMA

CROSS

DASH

DEGREES

DOLLAR

EQUALS

EURO

HASH

MINUS

MORE THAN

MULTIPLICATION

OBLIQUE

PER CENT

PERIOD

PLUS

POUND

QUESTION MARK

SLASH

TICK

TILDE

TYPES OF LITERATURE

```
D M C S L L C L I B R E T T O
F Y H E A I G X Z R F S M U Q
H K V E H W D T M D R O M A N
E O W T P B J R R A U R Z W F
N M O I L T I J A I I P P S A
Y G I C U A P O Q M A C A G N
E G P R P M M C G B A D A M T
C L O W C Q M P I R R S P D A
E Z X L C I P E O M A H L U S
L O Y S I S E H T O E P Z U Y
T W A C F R I R V O N L H U D
S G S A F P T R I E S W O Y O
I E S I T A E R T T R W B P R
P K E R U M W W A M A S L D A
E L U W Y D E M O C D S E U P
```

BIOGRAPHY	GOTHIC	ROMAN
COMEDY	LAMPOON	SAGA
CRIME	LIBRETTO	SATIRE
DRAMA	NOVEL	THESIS
EPIC	PARODY	TREATISE
EPISTLE	POLEMIC	TRIAD
ESSAY	PROSE	TRILOGY
FANTASY	PULP	VERSE

JAZZING IT UP

```
C S E U L B D I X I E L A N D
V Y B B O S S A N O V A M Y S
L O O C B D Z E W S F D L D O
J Q Y L K X I E Q N F E P R U
B E S A A Q Q C A U I G O S L
W O T S A D P Y A P E R B N J
G W E S T C O A S T F O D A A
D N H I F Q B M W R R O R E Z
L Y I C O R T X W A E V A L Z
A M W W V A S N B G E E H R M
A W N E S E O B J T F W D O O
P O B E B I P J C I O F J W D
M A I N S T R E A M R F I E E
N A B U C O R F A E M N V N R
C O F P Z Z A J T O H M E U N
```

ACID	FREE-FORM	MODERN
AFRO-CUBAN	FUSION	NEW ORLEANS
BEBOP	GROOVE	POST-BOP
BLUES	HARD BOP	RAGTIME
BOSSA NOVA	HOT JAZZ	SOUL JAZZ
CLASSIC	JIVE	SPIEL
COOL	MAINSTREAM	SWING
DIXIELAND	MODAL	WEST COAST

AREAS OF LONDON

```
C R N C N P C M A H K C E P S
N R K R Y O O O W I A Z D J H
O O E C O P D E C D R W G T G
T T T H G B H N O T C A R N U
X F A X C C L Y E T H O I D V
O R G N I I I O E H W L X T Q
H I D W X R W Q H S A J S Y H
Y E L X E B B N D E Y H E T R
U U A H A C K N E Y T N N H I
D R E C K H A M P E P E R T A
S S O R C W E N V E R N A Z F
E B U I D Z P X T B G G B U Y
L L E W D A H S E L T H A M A
D R O F T P E D M O N T O N M
K E N S I N O T G N I S N E K
```

ACTON	DULWICH	HOXTON
ALDGATE	EALING	KENSINGTON
ARCHWAY	EDMONTON	MAYFAIR
BARNES	ELTHAM	NEW CROSS
BEXLEY	GREENWICH	PECKHAM
BRENT	HACKNEY	SHADWELL
BRIXTON	HENDON	STEPNEY
DEPTFORD	HOLBORN	WANDSWORTH

HERBAL REMEDIES

```
S I R R O K C O L M E H T F K
X R O S E M A R Y F Z B B W R
G Y S I A D E Y E X O C A C T
W E D N U S V V S R Q L X U P
I Y U C N S E I A M O K M E D
O L C I L R A G O E F A P E A
R I O R F X E F V L R P G O N
E L B E E S N E F S E A L G D
W A W M P G R C H R V T Y K E
O N S R A A N M M O O K B N L
L N G U N A A I L I B N A I I
F O N T S L N G G I O M S G O
N D A G L T T G N E S N I G N
U A K O E Y E L S R A P L X J
S M W A Y D O R N E D L O G Z
```

ALOE VERA	GINSENG	PARSLEY
BASIL	GOLDENROD	PEPPERMINT
BORAGE	HEMLOCK	ROSEMARY
DANDELION	LOVAGE	SAFFRON
FEVERFEW	MADONNA LILY	SUNDEW
GARLIC	MARSHMALLOW	SUNFLOWER
GINGER	ORRIS	TURMERIC
GINKGO	OXEYE DAISY	VIOLET

THAT'S ENOUGH

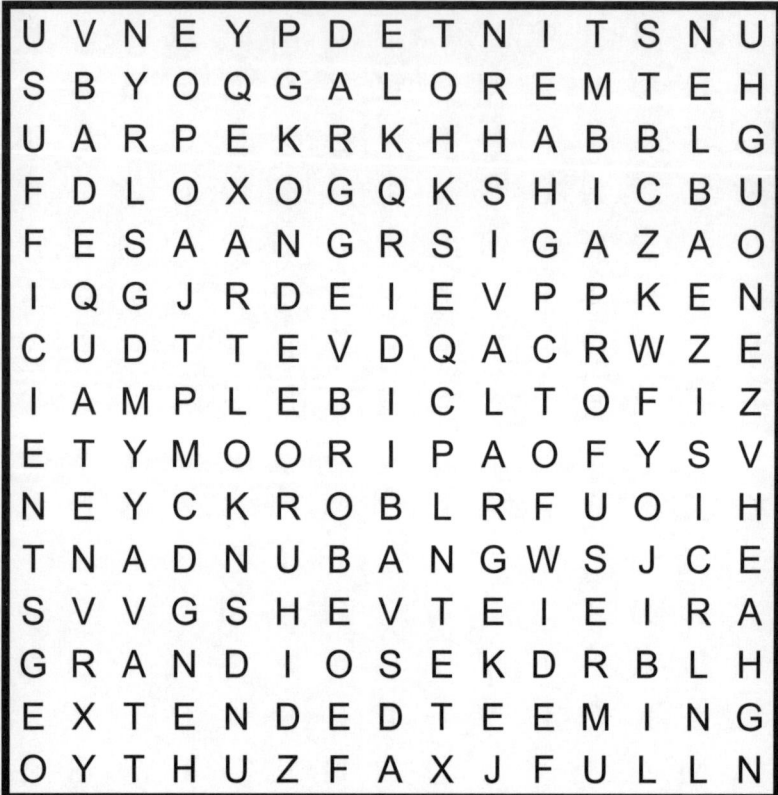

```
U V N E Y P D E T N I T S N U
S B Y O Q G A L O R E M T E H
U A R P E K R K H H A B B L G
F D L O X O G Q K S H I C B U
F E S A A N G R S I G A Z A O
I Q G J R D E I E V P P K E N
C U D T T E V D Q A C R W Z E
I A M P L E B I C L T O F I Z
E T Y M O O R I P A O F Y S V
N E Y C K R O B L R F U O I H
T N A D N U B A N G W S J C E
S V V G S H E V T E I E I R A
G R A N D I O S E K D R B L H
E X T E N D E D T E E M I N G
O Y T H U Z F A X J F U L L N
```

ABUNDANT	FULL	PROFUSE
ADEQUATE	GALORE	RICH
AMPLE	GRANDIOSE	ROOMY
BIG	GREAT	SIZEABLE
BROAD	LARGE	SUFFICIENT
CAPACIOUS	LAVISH	TEEMING
ENOUGH	LIBERAL	UNSTINTED
EXTENDED	MASSIVE	WIDE

BOOKS OF THE BIBLE

```
S B I O G Q T A M A R K L C F
M G E N E S I S J S E M A J X
L M A T T H E W O S G N I K Y
A Z Z R I V S E E A U P X E U
S E T S A I S E L C C E J O B
P P Z L U K E A H O R O Y N S
V E S E Y W T W R A K N H T R
V T K L K I D I T Q I G C K H
B E N B A I N R F Q O A D O O
S R F N V T E B N A M O S M H
N A S G H S V L J N X E F I A
D L M I C J E E I A A R B C N
M U A U S G O Z G H S U R A O
U N A A E M Q H L U I T B H J
S V F G J L S S N M C H C E O
```

ACTS	ISAIAH	MARK
AMOS	JAMES	MATTHEW
CORINTHIANS	JOB	MICAH
ECCLESIASTES	JOEL	NAHUM
EZEKIEL	JOHN	PETER
GALATIANS	JONAH	PSALMS
GENESIS	KINGS	RUTH
HOSEA	LUKE	SAMUEL

HOME BREWING

```
R G E M G A D Y K F J N V F T
S A B P N D J S F D B D S R R
J V C T I M A F D W K D Y E O
G I K K L C F I N I N G S T W
W N I F I L T E R U X U G E O
W Y U F O N N I O H O V A M T
P B U B B I G R F R S D R O Q
D G W L W U G A I H D A O M X
T L A M L C C C G T Z T M R O
H D Q Y O A Y M N O P D A E N
S M R R E L G K I R T A E H W
U R K L S L J E B F G V F T T
G S Z W P I R F U L L N E S S
A I R L O C K A T H O Q K C O
R I E Q H R E E B U F K A S K
```

AIRLOCK	FILTER	RACKING
AROMA	FININGS	SUGAR
BARLEY	FROTH	THERMOMETER
BEER	FULLNESS	TUBING
BOILING	GROUNDS	ULLAGE
BUNG	HOPS	WHEAT
CASK	MALT	WINE
CORKS	MASH	WORT

BOX OF CHOCOLATE

Q	O	A	H	E	B	D	B	Z	C	K	P	J	R	B
U	U	S	O	N	V	Z	D	I	P	G	P	X	S	H
W	Y	K	Y	C	V	I	H	K	O	B	E	A	I	K
C	T	D	T	A	O	N	T	E	I	U	U	D	L	Y
A	W	Y	N	N	I	C	D	S	D	C	Z	I	I	C
K	Y	O	F	A	H	B	C	N	E	L	M	C	Q	H
E	M	Z	L	C	C	U	O	O	H	G	E	W	U	I
H	H	B	C	B	I	F	Z	U	N	C	I	M	E	P
N	R	E	X	T	P	B	U	I	R	H	V	D	U	S
T	I	E	G	K	R	A	D	E	D	B	C	W	R	E
S	Q	A	T	D	E	D	A	G	N	Z	O	I	S	S
L	G	Q	L	T	U	M	O	U	S	S	E	N	R	S
S	W	G	A	P	I	F	G	O	R	J	U	A	W	I
J	Y	G	E	Y	K	B	V	C	Y	B	B	G	V	K
S	C	M	O	C	H	A	T	X	L	N	X	U	O	B

BARS	DARK	LIQUEUR
BISCUIT	DIGESTIVE	MILK
BITTER	EGGS	MOCHA
BOURBON	FONDUE	MOUSSE
CAKE	FUDGE	PLAIN
CANDY	GATEAU	PUDDING
CHIPS	ICE CREAM	RICH
COCOA	KISSES	SAUCE

ON ACCOUNT

```
T E L L O T I D E R C I L S I
T Z T L T A X A T I O N S N M
E V Y U I Q J Y Q S T V C N T
N L U R P B A U D I T O R Y I
L C C I O M T R X V M I E D B
Q A O H T T O B R E I C P A E
W C N A A C N C A T F E O Y D
Y T L R E R N E N L B R R B A
S I I R U D G E V Q A T T O F
Y K S F Y O M E W N N N Z O M
B T J K O E J R O E I E C K X
W A T V T R S G R O S S E E G
O V Z A C W P M T N U M B E R
R E T S I G E R H P V W Q S R
I S F Q D N X G N S P R T A E
```

AUDITOR	ENTRY	PROFIT
BALANCE	GROSS	RECORD
BILL	INCOME	REGISTER
CHARGE	INVENTORY	REPORT
COMPUTE	INVOICE	STATEMENT
CREDIT	JOURNAL	TALLY
DAY BOOK	NETT	TAXATION
DEBIT	NUMBER	WORTH

```
N W N D U S H A N B E W F A N
N T U L A A N B A A T A R T G
M N T I N A S T A N A Y M R N
Y E T O M P T P Y N V K U A A
A K I Y H V U G E K G I Y K Y
N H Y W P N B D E N H K T A G
G S I E T E E K N L A A O J N
O A S L I A H P E A I R C K O
N T D J U S B D M P M D H Y Y
L U I D I O W A E U A H K E P
K N H B H E E I G X N O T S T
G A L I N A M S F H T H X A Q
J I B L B U K G K L S O P T K
M K O U I S L A M A B A D W Z
M Z P D L E S I N G A P O R E
```

ASHGABAT	ISLAMABAD	SEOUL
ASTANA	JAKARTA	SINGAPORE
BANGKOK	KABUL	TAIPEI
BEIJING	KATHMANDU	TASHKENT
BISHKEK	MANILA	TEHRAN
DHAKA	NEW DELHI	TOKYO
DUSHANBE	PHNUM PENH	ULAANBAATAR
HANOI	PYONGYANG	YANGON

EATING OUT

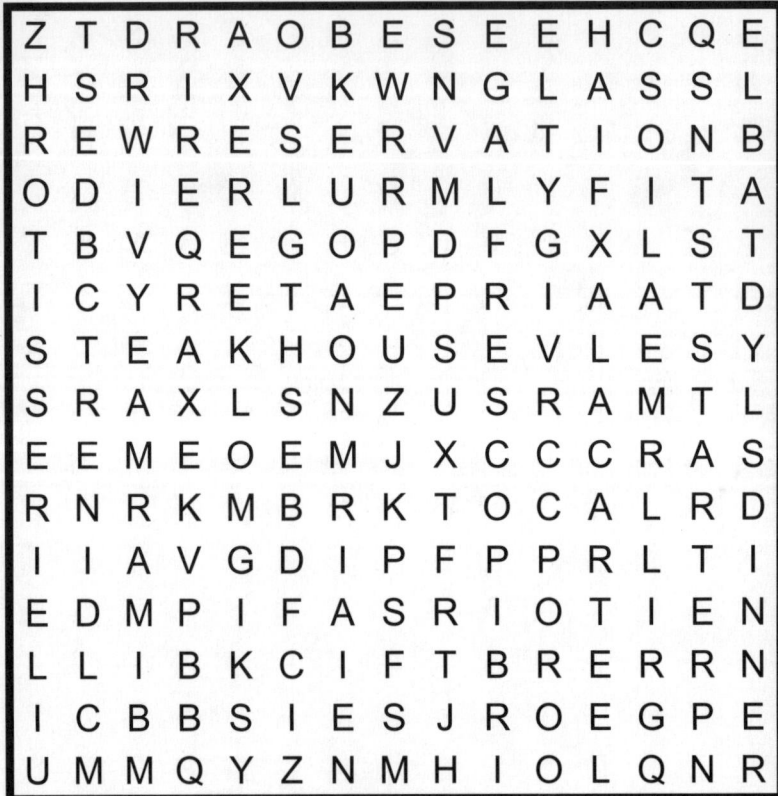

```
Z T D R A O B E S E E H C Q E
H S R I X V K W N G L A S S L
R E W R E S E R V A T I O N B
O D I E R L U R M L Y F I T A
T B V Q E G O P D F G X L S T
I C Y R E T A E P R I A A T D
S T E A K H O U S E V L E S Y
S R A X L S N Z U S R A M T L
E E M E O E M J X C C C R A S
R N R K M B R K T O C A L R D
I I A V G D I P F P P R L T I
E D M P I F A S R I O T I E N
L L I B K C I F T B R E R R N
I C B B S I E S J R O E G P E
U M M Q Y Z N M H I O L Q N R
```

A LA CARTE	FISH	RESERVATION
ALFRESCO	GLASS	ROTISSERIE
BILL	GRILL	SERVICE
BISTRO	MEAL	STARTER
CHEESE BOARD	MEAT	STEAKHOUSE
DINER	MENU	SUPPER
DINNER	NAPKIN	SWEET
EATERY	PARTY	TABLE

BONFIRE NIGHT

```
N I A T N U O F R E V L I S N
K W S P Z T I C R W W L R P P
X T G E Z S A B E A C O N A G
U U N E T Z E I R X D R N T
I I Z N I U K G H C A T I S R
J G L Y H N B A T H Y Z M O D
E N A F Q T R R G I A G T W I
D I U O O S F U X L S I N E S
A T J R K E F I B D A M T D P
C E C T N H Q Y F R Y M O X L
S H S H C C F C T E O R K K A
A D K E X C I T I N G C E X Y
C Q S G U N P O W D E R K I L
A V A U L T S O A R I N G E F
Z D M Y Q G H C R O C S I M T
```

BEACON

BLAZING

BURNING

CASCADE

CHESTNUTS

CHILDREN

DISPLAY

EXCITING

FIERY

FIFTH

GUNPOWDER

HEAT

IGNITE

MASKS

PARTY

PENNY FOR THE
    GUY

ROCKET

SCORCH

SILVER
    FOUNTAIN

SMOKY

SOARING

TORCH

TRAITOR

VAULTS

EXTREMELY AWKWARD

```
L I N E P T W G C H W J H S Z
W O D A I O D I F F I C U L T
X E X E L S T I C K Y P E P U
G M D S N S C O A R S E C H N
N O B Z U I D S I Q M W I P E
I S Q R U N F I T H U L P T N
H R Y J O D I E N U L C I U V
C E D Y D Q P L R A C O Y N I
U B L C D W A H T N R J S C A
O M E W O O D E N D U E A O B
L U I R L E A Z A O H J E U L
S C W P A S L L L R R G N T E
Z E N M E P A Y K W A G U H R
E D U R C M W T P A N I R O Y
Q R L G A U C H E S T I F F R
```

CLUMSY	INEPT	STIFF
COARSE	MALADROIT	UNCOUTH
CUMBERSOME	ROUGH	UNEASY
DIFFICULT	RUDE	UNENVIABLE
GAUCHE	RUSTIC	UNFIT
GAWKY	SLOUCHING	UNREFINED
ILL AT EASE	SLOW	UNWIELDY
INAPT	STICKY	WOODEN

HAIRSTYLES

```
O I N F O Q O L P E P P O F H
F V U Y R A Q O P A T D M R I
F D B S F M R B G Z A O G I B
I E I N A C A E S E H M U N C
U L P K A N B R H I U J B G W
Q G S R G O Q N C L O P B E T
Z N K S Y C I A L E D T A O A
H I C H R K N E M P L V L Y B
Z H O Z S Y T N P F E W I D U
M S L A Y E R E D I U T A P P
M C D D E L R U C K I P T V D
B R A I D M H D F A Z V G P E
B E E H I V E L L E H X I O Q
R F R E N C H P L E A T P S N
Q N D T O N S U R E S L N A N
```

AFRO	DREADLOCKS	PERM
BANGS	FRENCH PLEAT	PIGTAIL
BEEHIVE	FRINGE	PLAIT
BOB	LAYERED	QUIFF
BRAID	MARCEL WAVE	SHINGLE
BUN	MOHICAN	SKINHEAD
CROP	MULLET	TONSURE
CURLED	PAGEBOY	WEAVE

ON YOUR HEAD BE IT

```
R N T S O U W E S T E R K V R
E R G M R H E R A I N H A T C
T O N D O E N H H Q B V R L B
A C W O N O P O P M A I O O D
O I D E S O M A L L I T N A M
B R R T T B H Q C K H N D A D
N T E F U B M A S C E O H D Z
E T X R C N L O A T R O O G M
S L G G F A A P Z E B H O O R
T Y C L B R Z B R B E M R A Y
D G T X P E A B R G R Y E R B
E B I E S G M C T U E D L O L
R S A W O O M D S C T E W D I
B C R A S H H E L M E T O E R
Y F A T E N R I A H B G B F T
```

BALACLAVA	FEDORA	SOU'WESTER
BERET	HAIRNET	STETSON
BOATER	HOMBURG	TIARA
BONNET	HOOD	TOP HAT
BOWLER	MANTILLA	TRICORN
CLOTH CAP	RAIN HAT	TRILBY
CRASH HELMET	SCARF	TURBAN
DERBY	SOMBRERO	WIG

THINGS TO DREAM ABOUT

```
N H S J T K W E X P J G N C F
I T U I B S C G E Z N T H U L
G T H C N Q A E N I Z A J N O
H P R E H K H P T I S N C P A
T R I A W S I A E E M H W W T
M L G O V I E N S H O M H C I
A G A N N E F R G C T I I A N
R N F U S A L E O C J L R W G
E I C A G L K L S D U O L C S
S Y A C N H A E I H I X I T X
L L S I R T I M D N F A N Z W
N F T V E O A N I N G O G J O
P N L Y D H W S G N E N O L R
S R E W O L F D Y R A S S D K
B Z S J R G V A S F N Z S Y E
```

ALIENS	FANTASY	SHEEP
ANIMALS	FLOATING	SINKING
CASTLES	FLOWERS	SWIMMING
CHASES	FLYING	THE PAST
CHOCOLATE	FOOD	THE WIFE
CLOUDS	LAUGHING	TRAVELLING
CROWDS	NAKEDNESS	WHIRLING
EATING	NIGHTMARES	WORK

COLOUR CHART

```
J W T E N H T E J T D I D B J
P E A C H A R R E A U D K N J
R Q Q O Z Z X R F O N H B I S
T S U R A E A M I A H P O L J
C F A P Z L A C R U Q M Q U M
A U M B C U G A N H A D M E K
M C A L V H I V O R Y E L M X
E H R E S X P M I N J P E V V
L S I M C O W G L Q P U C E A
C I N E N R O G I A L H B G U
R A E R M L U I M B I O Q K F
Y K A A D A D N R H N G E R V
J Q E L V R U G E Y K Z B O L
Y R Z D A O L E V K B L A C K
C T Q B M C E R W R J U C W J
```

APPLE	CREAM	IVORY
AQUAMARINE	DRAB	JET
BLACK	EBONY	MARIGOLD
BLUE	ECRU	MAUVE
CAMEL	EMERALD	PEACH
CLARET	FUCHSIA	PUCE
CORAL	GINGER	RUST
CORK	HAZEL	VERMILION

PLUG IT IN

```
N E V O E V A W O R C I M N I
H B O I L E R U M R E W O M U
U I L F L D I S H W A S H E R
F D F A Q M T N S A N D E R P
H R R I N Z V O Z C E Z O R Q
E C E I U K P R A G E R I F Q
A H V E L N E I L S X N S Q R
T A A T Z L I T Q X T P N E S
E R H N J E A T I E R E S J C
R G S V Z E R V R A F I R T A
R E T I R W E P Y T N H R C N
J R L L A J U G O O Q Y A B N
A C A T D J U R I Z L A Z A E
M M L Y I N R A T I U G O P R
P X C D O M U K J A Y N R I W
```

BLANKET	HEATER	RADIO
BOILER	HI-FI UNIT	RAZOR
CHARGER	IONISER	SANDER
DISHWASHER	IRON	SCANNER
DRILL	LAMP	SHAVER
FIRE	MICROWAVE OVEN	SPRAY-GUN
FREEZER	MOWER	TOASTER
GUITAR	PRINTER	TYPEWRITER

BASEBALL GAME

```
B L K P S I E N O F R P A K T
I W L F M V S B Y I E L W Z H
B E A A O F S O Y W T A T I R
C K L L B U W R P P T T Z Z O
D I G V A T L G O P A E M Q W
L R N K L A I T E L B U O D A
E T T N K M S P L A E T S I L
I S E R I T A D S S I N G L E
F W A U R N U L W A L K A T V
N S M O J Q G J S F R B A R B
I E H O M E R U N D E W B I O
X S E R I P M U W V N T Q P H
B A S E B A L L R T N A Q L I
G B K D H I E U D Q P N R E T
Q V W U H Z C G P K M S E G S
```

BALK	GRAND SLAM	SPITBALL
BASEBALL	HITS	STEAL
BASES	HOME RUN	STRIKE
BATTER	INFIELD	TEAM
CURVE BALL	INNING	THROW
DOUBLE	PLATE	TRIPLE
FOUL	SHORTSTOP	UMPIRE
GLOVE	SINGLE	WALK

FRACTIONS

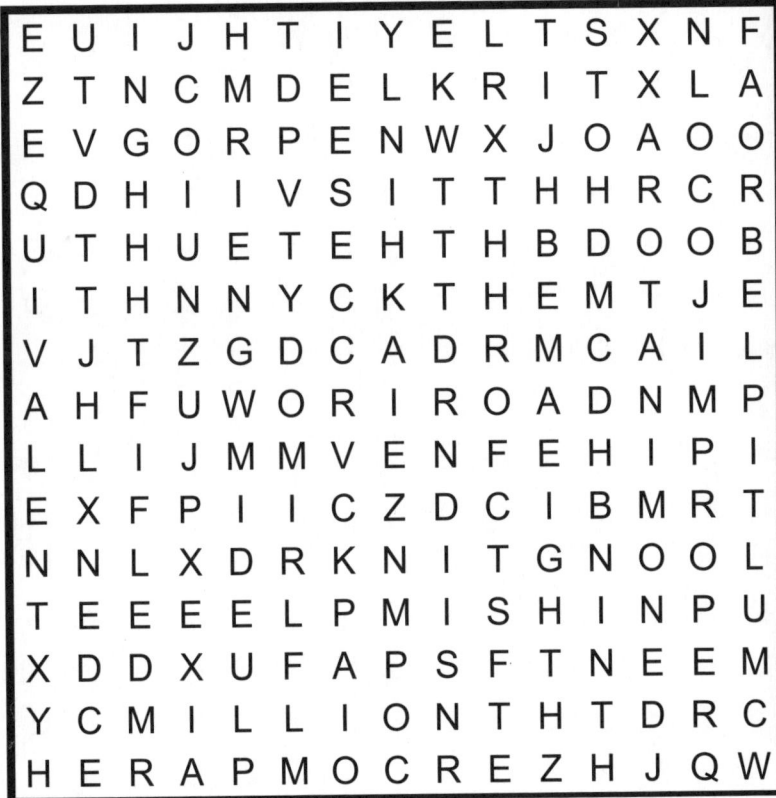

```
E U I J H T I Y E L T S X N F
Z T N C M D E L K R I T X L A
E V G O R P E N W X J O A O O
Q D H I I V S I T T H H R C R
U T H U E T E H T B D O O B
I T H N N Y C K T H E M T J E
V J T Z G D C A D R M C A I L
A H F U W O R I R O A D N M P
L L I J M M V E N F E H I P I
E X F P I I C Z D C I B M R T
N N L X D R K N I T G N O O L
T E E E L P M I S H I N P U
X D D X U F A P S F T N E E M
Y C M I L L I O N T H T D R C
H E R A P M O C R E Z H J Q W
```

COMMON	EQUIVALENT	MIXED
COMPARE	FACTOR	MULTIPLE
COMPLEX	FIFTH	NINTH
DECIMAL	FRACTION	ORDER
DENOMINATOR	HALF	SIMPLE
DIVIDED	HUNDREDTH	SIXTH
EIGHTH	IMPROPER	TENTH
ELEVENTH	MILLIONTH	THIRD

JUGGLING

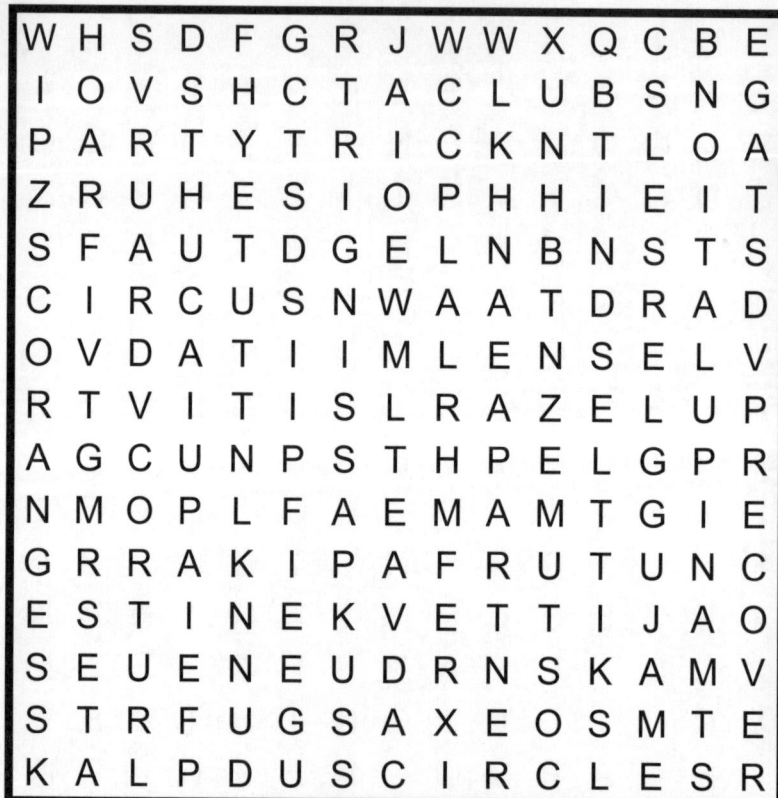

```
W H S D F G R J W W X Q C B E
I O V S H C T A C L U B S N G
P A R T Y T R I C K N T L O A
Z R U H E S I O P H H I E I T
S F A U T D G E L N B N S T S
C I R C U S N W A A T D R A D
O V D A T I I M L E N S E L V
R T V I T I S L R A Z E L U P
A G C U N P S T H P E L G P R
N M O P L F A E M A M T G I E
G R R A K I P A F R U T U N C
E S T I N E K V E T T I J A O
S E U E N E U D R N S K A M V
S T R F U G S A X E O S M T E
K A L P D U S C I R C L E S R
```

BALLS	JUGGLER	POISE
CATCH	MAKE-UP	PRACTISE
CIRCLES	MANIPULATION	RECOVER
CIRCUS	ORANGES	RINGS
CLUBS	PARTNER	ROUTINE
COSTUME	PARTY TRICK	SKITTLES
ENTERTAINER	PASSING	STAGE
HANDS	PLATES	THROW

OUR FELINE FRIENDS

```
P M I Q Z X N E T T I K O E D
P C Y S Y G N E H T M R A W U
R E A T W Z A A E H A I R S C
X K T T L A O R M U G D E S A
X I S D F R P A F F Q I C D T
K S L I X L A P O I G A U R N
U Q E E N U A O P G E Q T I I
T C R V F G D P O E W L E B P
S C X M I B I M M N Z I D S F
F G I F O L Z N E P E T A S M
C L A W S M E O G H O E D V T
E D L T O J E N L E L V D Y V
S N H U T A I L I F R N X Z O
Q U S N C C P V V N K B A E V
D E D A L A M R A M D D D V U
```

BIRDS	GARFIELD	MOUSE
CAT-FLAP	GINGER	NEPETA
CATNIP	HAIRS	NINE LIVES
CLAWS	KITTEN	PAWS
CUTE	KITTY	QUEEN
FELIX	MANX	SINGING
FLEAS	MARMALADE	TAIL
FOOD BOWL	MOGGIES	WARMTH

ROCKS AND MINERALS

```
E T I M O L O D C H A L K G E
H J T Q L D R E E I Z U P A T
O V G S A Z T A X U Q A M B I
Y N Y I I A G T M E N E T B R
F D P X G H P N L D T T H R O
J F S A C N C U E A E A I O I
K O U S L W E S M I S R L J D
F K M T T F I O F I S A A S E
I E X V B T R O U Z C S B Z P
L Y L T E P S W Z S P E Y J I
C A B D H F B P J E F Z X J D
H N O I S X O L R Q K L R R O
E Q C C A P A T I T E J I Y T
R D T H X T A L S T X R C N E
T U F B E R X R E L B R A M T
```

AGATE	DOLOMITE	JASPER
ANDESITE	EPIDOTE	MARBLE
APATITE	FELDSPAR	METAMORPHIC
BASALT	FLINT	PUMICE
CHALK	GABBRO	RED MARL
CHERT	GNEISS	SCHIST
COAL	GYPSUM	SLATE
DIORITE	IGNEOUS	TUFF

WILD CATS

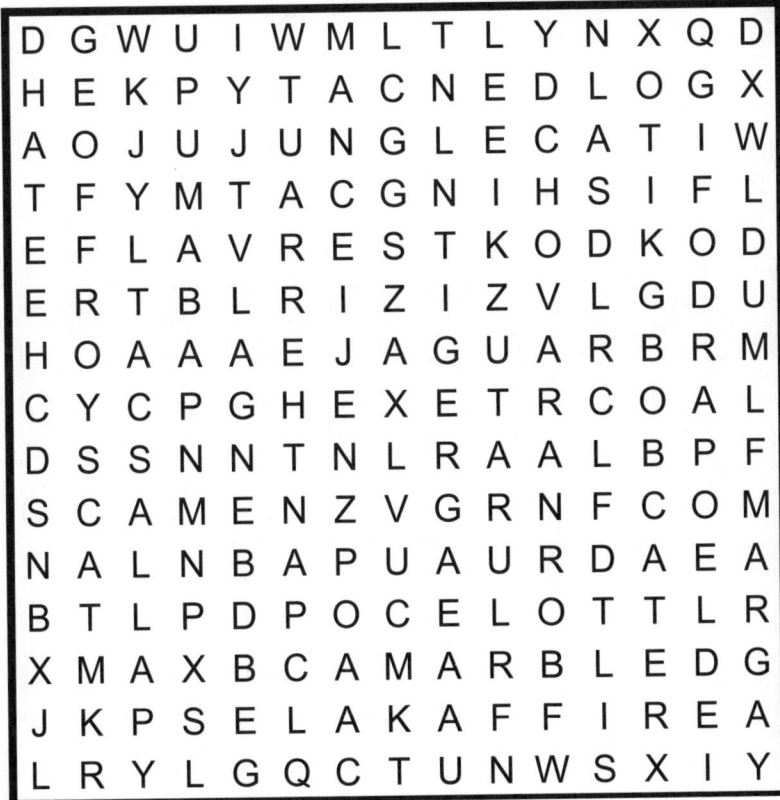

```
D G W U I W M L T L Y N X Q D
H E K P Y T A C N E D L O G X
A O J U J U N G L E C A T I W
T F Y M T A C G N I H S I F L
E F L A V R E S T K O D K O D
E R T B L R I Z I Z V L G D U
H O A A A E J A G U A R B R M
C Y C P G H E X E T R C O A L
D S S N N T N L R A A L B P F
S C A M E N Z V G R N F C O M
N A L N B A P U A U R D A E A
B T L P D P O C E L O T T L R
X M A X B C A M A R B L E D G
J K P S E L A K A F F I R E A
L R Y L G Q C T U N W S X I Y
```

BENGAL	JAGUAR	MARGAY
BOBCAT	JUNGLE CAT	OCELOT
CARACAL	KAFFIR	PALLAS CAT
CHEETAH	KODKOD	PANTHER
COUGAR	LEOPARD	PUMA
FISHING CAT	LION	SAND CAT
GEOFFROY'S CAT	LYNX	SERVAL
GOLDEN CAT	MARBLED	TIGER

PLUMBING

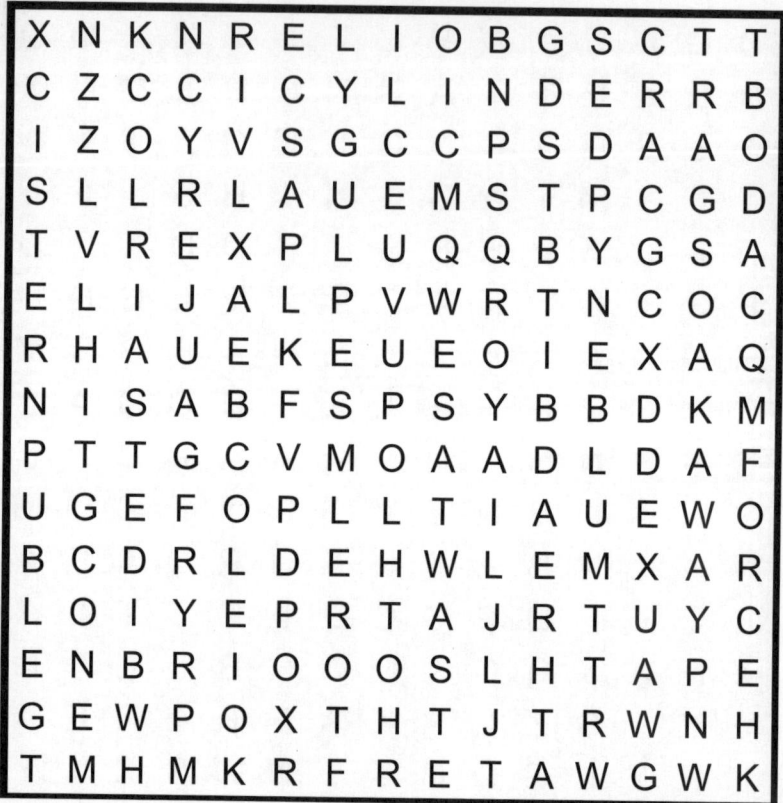

```
X N K N R E L I O B G S C T T
C Z C C I C Y L I N D E R R B
I Z O Y V S G C C P S D A A O
S L L R L A U E M S T P C G D
T V R E X P L U Q Q B Y G S A
E L I J A L P V W R T N C O C
R H A U E K E U E O I E X A Q
N I S A B F S P S Y B B D K M
P T T G C V M O A A D L D A F
U G E F O P L L T I A U E W O
B C D R L D E H W L E M X A R
L O I Y E P R T A J R T U Y C
E N B R I O O O S L H T A P E
G E W P O X T H T J T R W N H
T M H M K R F R E T A W G W K
```

AIRLOCK	FORCE	SUPPLY
BASIN	LEAKS	TANK
BATHROOM	O-RING	TAPE
BIDET	PIPE-LAYING	THREAD
BOILER	PLUG	TRAP
CISTERN	PUMP	VALVE
CYLINDER	SOAKAWAY	WASTE
ELBOW	SOLDER	WATER

DECORATOR'S DELIGHT

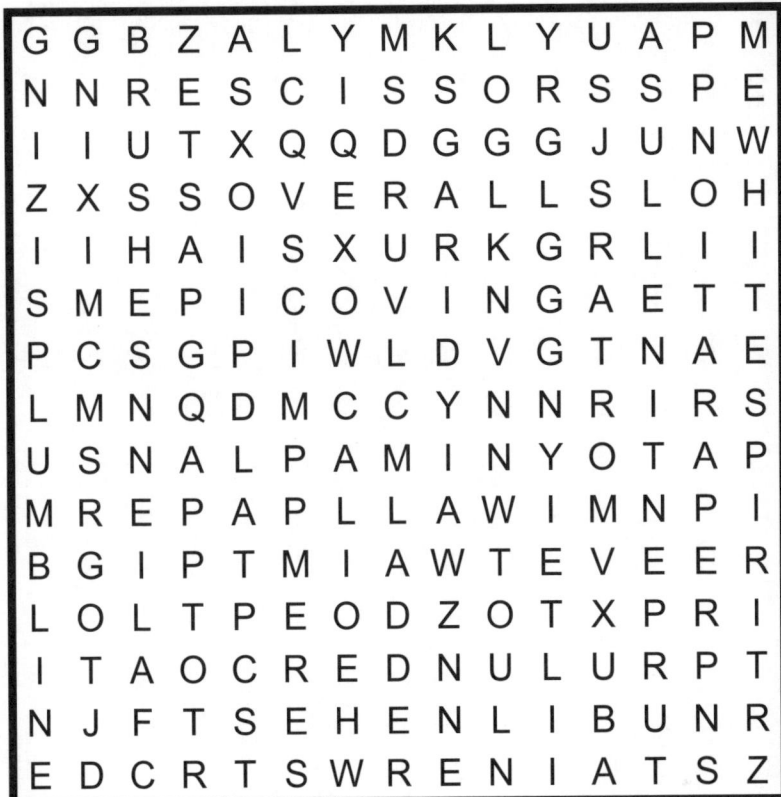

```
G G B Z A L Y M K L Y U A P M
N N R E S C I S S O R S S P E
I I U T X Q Q D G G G J U N W
Z X S S O V E R A L L S L O H
I I H A I S X U R K G R L I I
S M E P I C O V I N G A E T T
P C S G P I W L D V G T N A E
L M N Q D M C C Y N N R I R S
U S N A L P A M I N Y O T A P
M R E P A P L L A W I M N P I
B G I P T M I A W T E V E E R
L O L T P E O D Z O T X P R I
I T A O C R E D N U L U R P T
N J F T S E H E N L I B U N R
E D C R T S W R E N I A T S Z
```

BLOWLAMP	MIXING	SCISSORS
BRUSHES	MORTAR	SIZING
CEILING	OVERALLS	STAINER
COVING	PASTE	TURPENTINE
DESIGN	PLANS	UNDERCOAT
GLOSS	PLUMB LINE	VINYL
LADDER	PREPARATION	WALLPAPER
MATT	RAGS	WHITE SPIRIT

HAVE A BEER

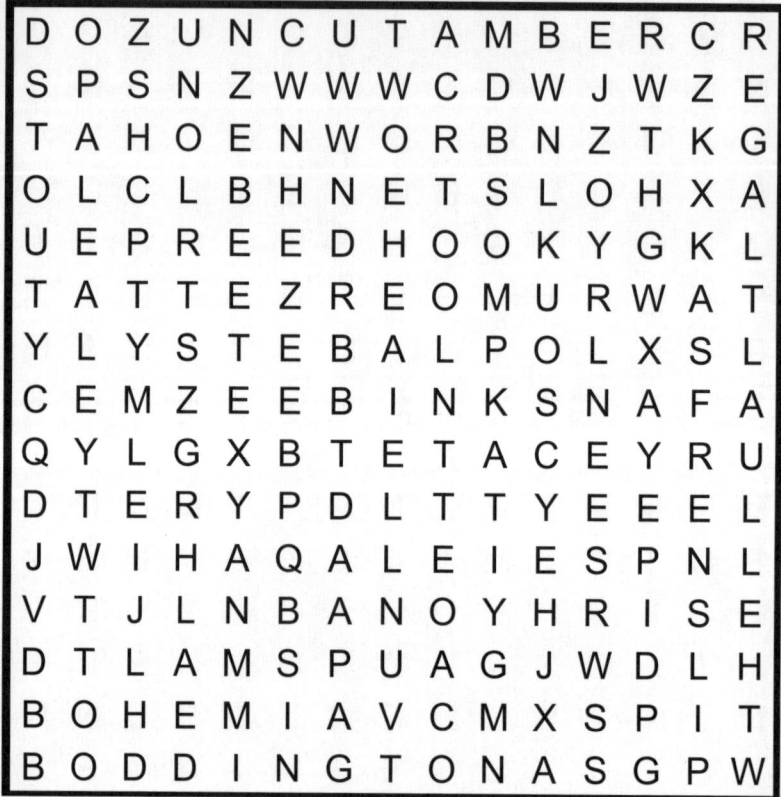

```
D O Z U N C U T A M B E R C R
S P S N Z W W W C D W J W Z E
T A H O E N W O R B N Z T K G
O L C L B H N E T S L O H X A
U E P R E E D H O O K Y G K L
T A T T E Z R E O M U R W A T
Y L Y S T E B A L P O L X S L
C E M Z E E B I N K S N A F A
Q Y L G X B T E T A C E Y R U
D T E R Y P D L T T Y E E E L
J W I H A Q A L E I E S P N L
V T J L N B A N O Y H R I S E
D T L A M S P U A G J W D L H
B O H E M I A V C M X S P I T
B O D D I N G T O N A S G P W
```

ATLAS	HOLSTEN	PILSNER
BARLEY	HOOKY	SOBERANA
BITTER	HOPS	SPECKLED HEN
BODDINGTON	LAGER	STOUT
BOHEMIA	LAGONDA	TETLEY
BROWN	MALT	UNCUT AMBER
GOLD BEST	PALE ALE	WHITE BEER
HELL	PANAMA	YEAST

ARCHAEOLOGICAL DIG

```
E Z B C G Q E D G R O Y U S N
T D Q R K T Q J U V G Y D Q A
X X U W O I K M V O E M I F G
C O L O H N E P L G E M T L R
D Y D L V G Z O N U E U C I U
O R A V A N E E C B M M H N K
G G A L I A H P A U O X B T S
J B I O H E I U L G Z W Z E A
J T V C H T M I O L E H L N C
H E R R S U R Y P A P C C I Y
N A S E N O B L B L R I L K R
M C T X W A B D B I E E Z I H
W I X N I H P S C N R P L L U
S A R T E F A C T Q E W T N T
C F X B E D E G L A C I A L S
```

ANCIENT	FLINT	MUMMY
ARCHAEOLOGY	GLACIAL	OVEN
ARTEFACT	HENGE	PAPYRUS
BONES	HOARD	PITS
BOWL	HUTS	RELIC
BRONZE AGE	KILN	SITES
CIRCLES	KURGAN	SPHINX
DITCH	MEGALITH	TUMULI

WORDS OF ANGER

```
N O I T A X E V V W L L A G F
E F R I M Y P Y A D R I D D R
K O V F R N Z A U B R A G G N
O F G E E N E F S A S L T I O
V F I N E N Z T T S S P N H E
O E N R L R Z E T L I F U I T
R N F A Z Y E R N L L O A R A
P C U G P F P P Z A E S N E R
I E R E S E N T M E N T G F E
N Y I Q K E M E S E I G U U P
C Z A P E I S A C L T R R L S
E N T A G E B U D H Y F O Y A
N R E G N A O R O D A L E B X
S P J F D Q F L N R E F L J E
E R E S A E L P S I D N E V D
```

ANGER	GALL	OFFENCE
ANGRY	INCENSE	PASSION
CHAFE	INFLAME	PROVOKE
DISPLEASE	INFURIATE	RESENTMENT
ENRAGE	IRATE	ROUSE
EXASPERATE	IREFUL	TEMPER
FRENZY	MADDEN	VEXATION
FURY	NETTLE	WRATH

LET'S AGREE

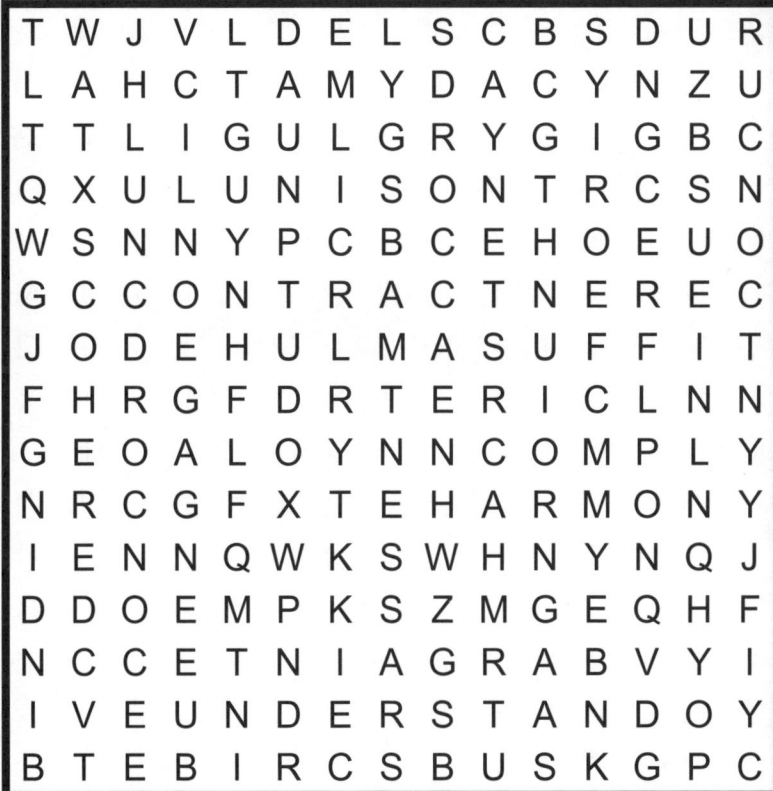

```
T W J V L D E L S C B S D U R
L A H C T A M Y D A C Y N Z U
T T L I G U L G R Y G I G B C
Q X U L U N I S O N T R C S N
W S N N Y P C B C E H O E U O
G C C O N T R A C T N E R E C
J O D E H U L M A S U F F I T
F H R G F D R T E R I C L N N
G E O A L O Y N N C O M P L Y
N R C G F X T E H A R M O N Y
I E N N Q W K S W H N Y N Q J
D D O E M P K S Z M G E Q H F
N C C E T N I A G R A B V Y I
I V E U N D E R S T A N D O Y
B T E B I R C S B U S K G P C
```

ACCORD	CONCUR	MATCH
AGREE	CONFORM	MEET
ASSENT	CONSENT	SUBSCRIBE
BARGAIN	CONTRACT	SUIT
BINDING	COVENANT	TALLY
COHERE	ENGAGE	UNDERSTAND
COMPLY	FIT	UNISON
CONCORD	HARMONY	UNITE

BAD WORDS

```
F B L S U O N I A L L I V X N
K S V A G Y T H G U A N C D O
I N J U R I O U S F P O R M M
L D S G O O S H I M R J A Q G
M U D N S C M T H R N A S T Y
I P F E S D G M U A D E C D N
S M E T L H M P I H L L A E O
C M E R R E T T Y I U U L P X
H J L N N U T U V G F F L R I
I W B U L I H E R K N E Y A O
E T I P F N C O R O I L Q V U
V T R C K E T I E I S A P E S
O L R P K T N D O V O B M D Z
U Q O T E E V A S U E U G N A
S D H N Y H D B B L S L S J O
```

BAD	HARMFUL	NOXIOUS
BALEFUL	HORRIBLE	PERNICIOUS
BANEFUL	HURTFUL	RASCALLY
CORRUPT	IMMORAL	ROTTEN
DELETERIOUS	INJURIOUS	SINFUL
DEPRAVED	MISCHIEVOUS	VILE
EVIL	NASTY	VILLAINOUS
GROSS	NAUGHTY	WICKED

FRUITS

```
A M A N A N A B H E N U R P P
D A V A M U S T A S W V I U M
G N O A E H C A E P Z K M J E
L D C G T N D Y E X V P O P Y
B A A T I O I A W E K G Y R D
F R D N U L R T G I N W R W E
T I O T R E N N A O E R G O
A N G L F M A T M E H N E F J
N P Y O N R Q A X C M M B O B
G A T L O O D U L Y J E E J X
E W X I I L G Q M I W K L C V
R P E R S I M M O N M E K C M
I A X D S V A U C Y M E C R U
N W Q O A E Y K Y O P G U D W
E I P A P A Y A N Y N Z H I X
```

AVOCADO	LIME	PAWPAW
BANANA	MANDARIN	PEACH
CHERRY	MANGO	PEAR
CLEMENTINE	MELON	PERSIMMON
FIG	OLIVE	PRUNE
HUCKLEBERRY	ORANGE	PUMPKIN
KUMQUAT	PAPAYA	SATSUMA
LEMON	PASSION FRUIT	TANGERINE

IN THE BATHROOM

```
X E T S A P H T O O T X S Y G
F O A H C O L D T A P C O P U
D O M A Q C G K M O I Y W A L
B P H F O I C I S T E R N T P
U M T O H A F B E L F B A T L
B A A O U H W M E H Q L A O E
B H B L I C S N L Q E F B H W
L S S D W O N E E G T B S P O
E U B U C A W J R E I U P R T
B R A J L O X E R D R N I M D
A B T F T W S E B Y O O B N
T L H H D O H T R A Z O R V A
H I T S H A V I N G B R U S H
E A U S V O A K N I S E S W S
B N B E S H A V I N G F O A M
```

AFTERSHAVE	COSMETICS	PLUG
BATH MAT	FLANNEL	RAZOR
BATH-TOWEL	FLUSH	SHAMPOO
BATHTUB	HAIRBRUSH	SHAVING-BRUSH
BIDET	HANDTOWEL	SHAVING FOAM
BUBBLE BATH	HOT TAP	SHOWER GEL
CISTERN	LOOFAH	SINK
COLD TAP	NAILBRUSH	TOOTHPASTE

IN FANCY DRESS

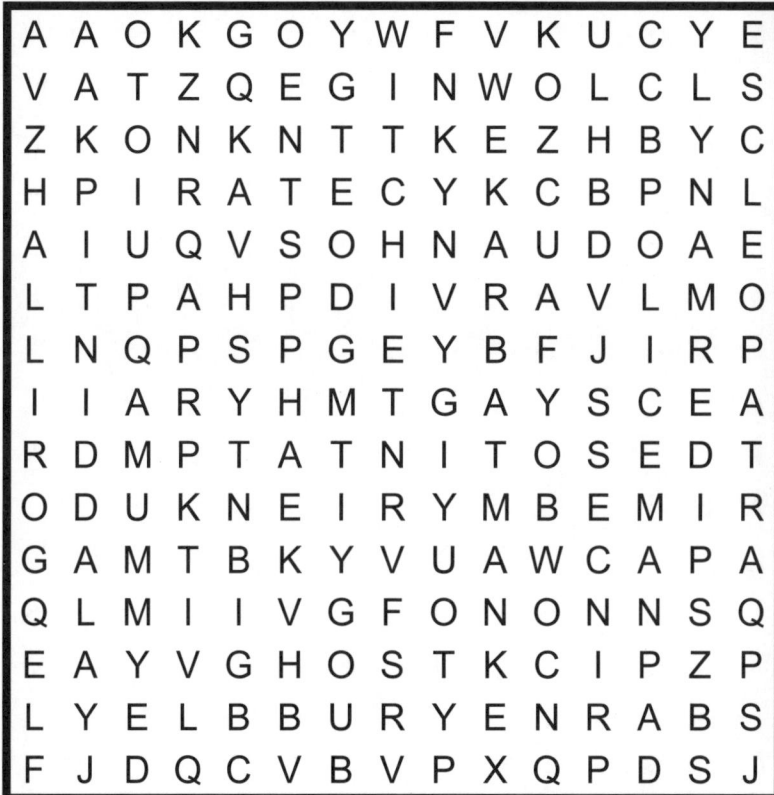

```
A A O K G O Y W F V K U C Y E
V A T Z Q E G I N W O L C L S
Z K O N K N T T K E Z H B Y C
H P I R A T E C Y K C B P N L
A I U Q V S O H N A U D O A E
L T P A H P D I V R A V L M O
L N Q P S P G E Y B F J I R P
I I A R Y H M T G A Y S C E A
R D M P T A T N I T O S E D T
O D U K N E I R Y M B E M I R
G A M T B K Y V U A W C A P A
Q L M I I V G F O N O N N S Q
E A Y V G H O S T K C I P Z P
L Y E L B B U R Y E N R A B S
F J D Q C V B V P X Q P D S J
```

ALADDIN	ELF	PIRATE
BARNEY RUBBLE	FAIRY	POLICEMAN
BATMAN	GHOST	PRINCESS
BETTY RUBBLE	GORILLA	SANTA
CAVEMAN	HIPPY	SPIDER-MAN
CLEOPATRA	KNIGHT	TURKEY
CLOWN	MR SPOCK	VIKING
COWBOY	MUMMY	WITCH

EIGHT-LETTER WORDS

```
M V Y L G N I K O J L N R X W
O E T E L P M O C C A S I O N
D D D I N H C A R A E H I B T
I D W E P E R T N E S S N I A
F X E Z F O G E R I N P F E O
I V D D Q E K N W C E M A N T
E V O M O A N E I R S A M N A
D Q T P T L R D I Z N E O I K
A K F S J H P H E U O R U A A
W B I C S D P M E R N T S L R
D M L U T P A C I F I S M D K
L W E E A O U R E I L P P U S
I R C S O J N A P E C U A S M
N Y A X T U R M E R I C U A D
G Q F I T F U L L Y U U T Z G
```

ARACHNID	INFAMOUS	PACIFISM
BIENNIAL	JOKINGLY	PERTNESS
COMPLETE	KNAPSACK	SAPPHIRE
DAWDLING	KRAKATOA	SAUCEPAN
DEFENDER	MISTAKEN	SHREWISH
FACELIFT	MODIFIED	SUPPLIER
FITFULLY	NONSENSE	TURMERIC
IMPLODED	OCCASION	UPSTREAM

ON THE FARM

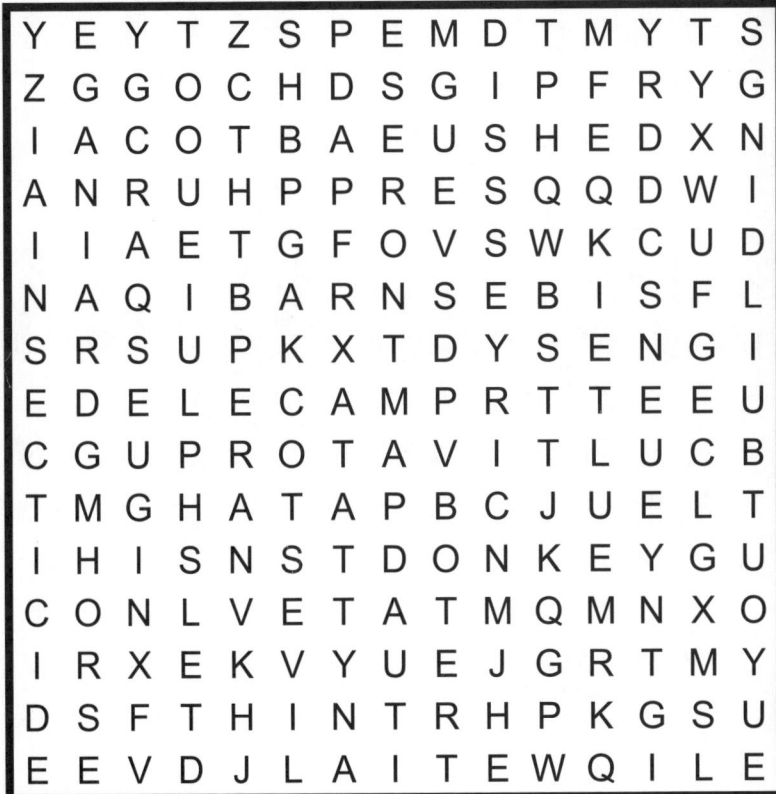

```
Y E Y T Z S P E M D T M Y T S
Z G G O C H D S G I P F R Y G
I A C O T B A E U S H E D X N
A N R U H P P R E S Q Q D W I
I I A E T G F O V S W K C U D
N A Q I B A R N S E B I S F L
S R S U P K X T D Y S E N G I
E D E L E C A M P R T T E E U
C G U P R O T A V I T L U C B
T M G H A T A P B C J U E L T
I H I S N S T D O N K E Y G U
C O N L V E T A T M Q M N X O
I R X E K V Y U E J G R T M Y
D S F T H I N T R H P K G S U
E E V D J L A I T E W Q I L E
```

BARN	HOG	PIGS
CULTIVATOR	HORSE	PLUM
DONKEY	INSECTICIDE	RYE
DRAINAGE	LIVESTOCK	SEEDS
DUCK	MILK	SHED
EGGS	OATS	STY
FRUIT	OUTBUILDINGS	SWINE
HARVEST	PASTURE	WHEAT

CLOCK WORK

```
C U T Y I X Q P M X J D I A L
H H E A Q P K L M N N X N Y T
R K L Q B K J K O X A A I U K
O I E U S L T S U N L L M A T
N T V C T N E E K O E O Y J W
O C R F A W L D G N G O N B W
M H X Y E F K G V U A K A U K
E E O D A J A T O M I C G A T
T N C B R O N Z E E R U O H N
E Y W D I H A C W U R C H T E
R Y N A A S D R N Q A Y A E M
X T X N T H Y W T I C Q M R E
D W D F X E M A N T E L A R V
S S A R B R R L M N Z L V U O
R A T C H E T L P A A S W T M
```

ALARM	CUCKOO	MANTEL
ANALOG	DESK	MOVEMENT
ANTIQUE	DIAL	OAK
ATOMIC	FACE	RATCHET
BRASS	HANDS	TABLE
BRONZE	KEY	TURRET
CARRIAGE	KITCHEN	WALL
CHRONOMETER	MAHOGANY	WATER

ASSOCIATE

```
Z A E G R N F O J J Y E P D C
T C F Q E T A L E R T B Z F O
C E H F O H M S Q I C X E R M
E T N U I R I D N O U C K I P
N A J V M L L U M F O O O E A
N I D Q X P I P W M E T Y N N
O C O Z U S A A R K C L L D I
C O A J M T R A T K O V L B O
K S H Z R N D J H E N Q A O N
M S L I M E N Z R Y S I W P W
I A O C O M P A N Y O C L Z R
N T Y E V Y R E N T R A P M G
G Z C E N I B M O C T G A R J
L E N E L P U O C V B T R X B
E S I N R E T A R F E Y J I H
```

AFFILIATE	COMRADE	JOIN
ALLY	CONNECT	LINK
ASSOCIATE	CONSORT	MATE
CHUM	COUPLE	MINGLE
COMBINE	FAMILIAR	PARTNER
COMPANION	FELLOW	RELATE
COMPANY	FRATERNISE	UNITE
COMPATRIOT	FRIEND	YOKE

MOTORING AROUND

```
W A O C K L E S E I D O Y Z H
E B D I E V E L I C E N C E C
T K R N D E F R O S T H Z Z V
Y S O A C X H B S I G N A L C
I T U H M H G A Y V E S U I H
N R N C C A A A M I L E A G E
S E D E S U R S R B F O Q P V
U A A M E S V E S A E R G J R
L M B H T T A F Q I G R P K O
A L O S T O G P F I S E E R N
T I U A E K O S Y B I S T E S
I N T R N Y D B R B K W R F J
O E S C N A P A F D V L O S O
N G B E O W K R O T O M L C O
N K P R B E F G A K L J O Z E
```

AMBER	CRASH	MECHANIC
BONNET	DEFROST	MILEAGE
BOOT	DIESEL	MOTOR
BRAKE	EXHAUST	PETROL
BYPASS	GARAGE	ROADS
CHASSIS	GREASE	ROUNDABOUT
CHEVRONS	INSULATION	SIGNAL
CHOKE	LICENCE	STREAMLINE

GAME OF BINGO

```
W K C K I C O R N E R R E V Z
X I T S O L W T Z J S S M R S
C E A A E M P U T O U M H K H
C A I M U D R Z U O M A C Y A
N A R T U W I P H S L U D B E
Z D L D U S Z S C L D N B M K
B A L L S M E R A E C V A D N
T V E C O E S M L E K G E V W
A Z C R H U S T E A S C G G B
B K N I L A T S E N L Q J R C
L C Q F Z I I R I A T U S A U
E D N I L B B R R O Z A X N J
H T U O H S C E Y F N V N D K
B G W L E G S E L E V E N O V
V T E Y E S D O W N I F U M Q
```

AMUSEMENT	DECLARE	LOTTO
BALLS	EYES DOWN	PRIZES
BLIND	GAME	RANDOM
BREAK	HALL	SEASIDE
CALL OUT	HOUSE	SESSION
CARDS	LEGS ELEVEN	SHOUT
CHAIR	LINK	TABLE
CORNER	LOST	TWO LITTLE DUCKS

BATTLEFIELD

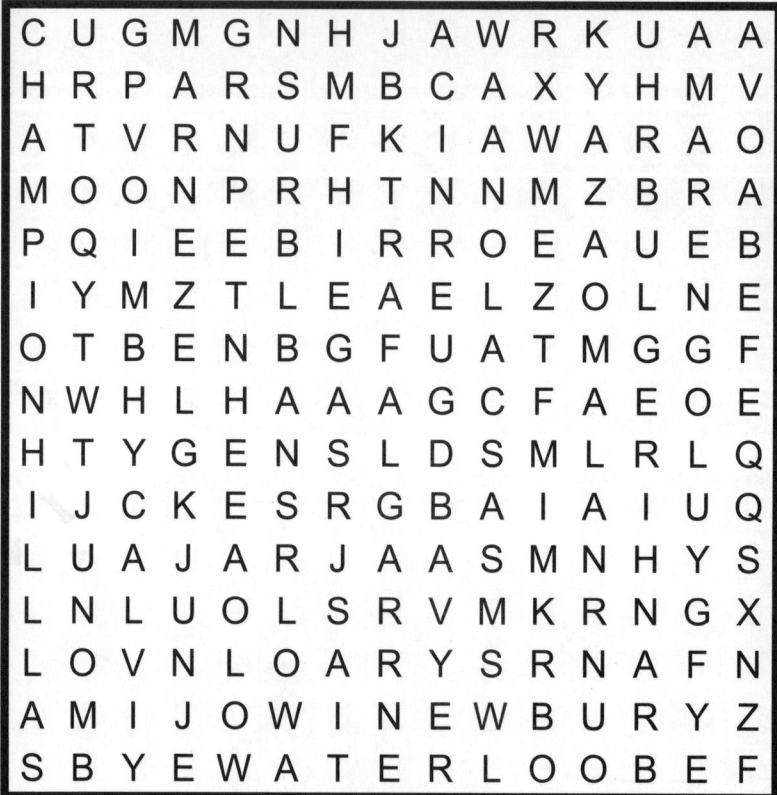

```
C U G M G N H J A W R K U A A
H R P A R S M B C A X Y H M V
A T V R N U F K I A W A R A O
M O O N P R H T N N M Z B R A
P Q I E E B I R R O E A U E B
I Y M Z T L E A E L Z O L N E
O T B E N B G F U A T M G G F
N W H L H A A A G C F A E O E
H T Y G E N S L D S M L R L Q
I J C K E S R G B A I A I U Q
L U A J A R J A A S M N H Y S
L N L U O L S R V M K R N G X
L O V N L O A R Y S R N A F N
A M I J O W I N E W B U R Y Z
S B Y E W A T E R L O O B E F
```

ALAMO	CHAMPION HILL	NEWBURY
ANZIO	GAZA	NILE
ARMADA	GUERNICA	OMAHA
ARNHEM	IWO JIMA	RUHR
ASCALON	JENA	SELBY
BULGE	JUNO	SURAT
BURMA	MARENGO	TRAFALGAR
CALVI	MARNE	WATERLOO

FEELING ADVENTUROUS

```
S  S  U  E  S  I  R  P  R  E  T  N  E  T  Y
Q  U  S  N  N  S  U  O  E  G  A  R  U  O  C
P  A  O  E  C  U  N  S  K  L  D  O  C  T  T
G  A  F  I  L  E  Z  T  A  A  O  E  R  G  N
D  X  S  I  T  K  R  U  T  Q  N  I  I  N  E
R  V  Z  S  I  U  C  T  S  C  A  V  S  I  M
A  D  N  H  A  D  A  E  A  L  P  H  I  T  E
Z  T  R  E  A  G  I  C  R  I  S  S  R  T
A  D  K  R  T  U  E  U  N  I  N  L  C  O  I
H  A  I  O  L  Y  S  L  L  I  R  H  T  P  C
T  N  P  I  R  T  U  O  Y  H  A  K  P  S  X
G  G  E  C  W  R  O  N  R  N  P  S  U  B  E
P  E  R  Z  C  F  K  I  C  A  J  I  Z  O  X
L  R  I  E  Z  T  N  E  V  E  S  R  M  L  R
V  J  L  F  O  R  T  U  I  T  Y  H  Y  D  W
```

BOLD	EXCITEMENT	RASH
CHANCE	FOOLISH	RECKLESS
COURAGEOUS	FORTUITY	RISK
CRISIS	HAZARD	SPORTING
DANGER	HEROIC	STAKE
DARING	INCAUTIOUS	THRILLS
ENTERPRISE	PASSAGE	TRIAL
EVENT	PERIL	UNCERTAIN

ARCHITECTURAL DESIGN

```
N H F A V Y A M P W M U A U D
Z N M A P F E N O T S Y E K P
A G U E L O N D B G I P K J T
R L J E A K S M E T O P E F M
T M C J C R A T U H B T A G E
D H U G I Y L S M O O H H L N
E N I T N A Z Y B O S G C I S
C I E H O K G D E S D O I Y C
O N F R I E Z E O N S E Q V I
T Y O W P I L L A R G I R H E
S O O R A L A E F L I L K N O
O B R K M R U J P C O C I D M
B Z N U N A C R A V O P A S W
K W P P S H N H F M Q D U F H
E T T I F F O S L E B R O C Y
```

ARCH	FLECHE	OGIVE
ART DECO	FRIEZE	PILLAR
BYZANTINE	GOTHIC	POSTMODERN
CORBEL	IONIC	SHAFT
CUPOLA	JAMB	SOCLE
DADO	KEYSTONE	SOFFIT
DORIC	METOPE	TORUS
EARLY ENGLISH	NORMAN	VAULT

DOUBLE F

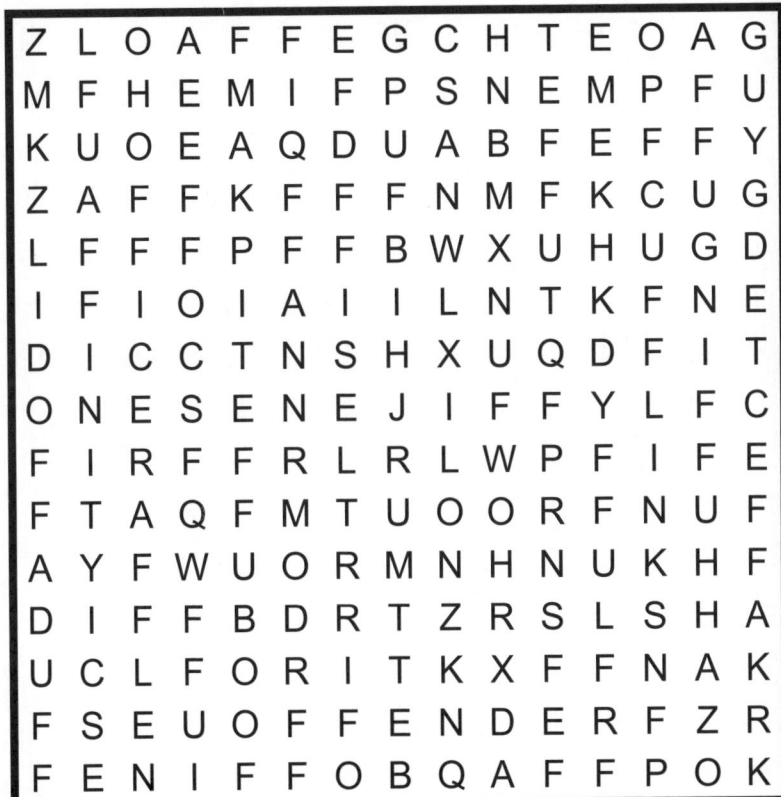

```
Z L O A F F E G C H T E O A G
M F H E M I F P S N E M P F U
K U O E A Q D U A B F E F F Y
Z A F F K F F N M F K C U G
L F F F P F F B W X U H U G D
I F I O I A I I L N T K F N E
D I C C T N S H X U Q D F I T
O N E S E N E J I F F Y L F C
F I R F F R L R L W P F I F E
F T A Q F M T U O O R F N U F
A Y F W U O R M N H N U K H F
D I F F B D R T Z R S L S H A
U C L F O R I T K X F F N A K
F S E U O F F E N D E R F Z R
F E N I F F O B Q A F F P O K
```

AFFECTED	DAFFODIL	OFFICER
AFFINITY	DUFF	OFFSHORE
AFFIX	EFFORT	PONTIFF
BLUFF	FLUFFY	RAFFLE
BOFFIN	HUFFING	SCOFF
BUFFET	JIFFY	STAFF
COFFEE	MUFFIN	SUFFICE
CUFFLINKS	OFFENDER	TUFFET

ART

```
F K C B E L P F S A V N A C N
F V V T S K E T C H H S A W K
V E R U G I F D G U S N J K P
L A I U L E N Z O D B U J W A
E R N E X N S X C M U I R E P
S R R T C A P C O O N P S B E
A A I E E O R L C G L H G M R
E N S H S X R U O L L O B K S
G G E E S G T X C A N E U A P
V E A I V D P U O Z O H X R E
S M S L W W E L R E Y W J T C
R E C S L P A S T E L S B I T
G N A E L O X A I U S F M S I
N T P H O I C H A G L Z O T V
J K E S T R O K E S N Z I K E
```

ARRANGEMENT	EASEL	POSE
ARTIST	FIGURE	RELIEF
BRUSH	GLAZE	ROCOCO
CANVAS	MODEL	SEASCAPE
COLLAGE	OILS	SKETCH
COLOUR	PAPER	STROKES
CUBISM	PASTELS	TEXTURE
DESIGN	PERSPECTIVE	WASH

HOT, HOT, HOT

```
I  Q  W  N  R  V  R  J  H  B  Y  D  K  K  Z
U  G  N  I  R  P  S  T  O  H  R  A  M  R  O
S  Y  M  V  L  A  S  P  P  A  N  M  U  O  Q
D  G  R  I  L  L  D  Q  D  M  O  C  S  W  D
H  Y  N  C  A  O  I  I  A  C  O  I  T  E  E
S  Y  E  O  G  B  A  H  S  S  R  N  A  R  N
E  G  C  T  T  T  M  A  C  H  H  D  R  I  I
H  Z  A  F  O  E  B  E  T  C  D  E  D  F  G
C  T  N  R  F  A  R  U  Q  P  Q  R  S  A  N
T  H  R  K  T  I  A  I  Q  J  A  S  N  F  E
A  P  U  A  F  M  R  J  F  D  U  T  O  S  E
M  W  F  N  E  G  R  O  F  M  W  E  I  T  R
T  V  O  G  E  H  Z  V  M  Y  V  A  N  O  I
B  B  E  C  A  L  P  E  R  I  F  M  O  V  F
Q  Y  E  K  I  A  R  N  T  J  O  O  J  E  V
```

ASHES	FIREWORK	ONION
BONFIRE	FORGE	OVEN
CHILLI	FURNACE	RADIATOR
CINDERS	GRILL	RADISH
COALS	HEARTH	STEAM
FIRE ENGINE	HOT SPRING	STOVE
FIREPLACE	MATCHES	SUMMER
FIRE TONGS	MUSTARD	TABASCO

NEWSPAPER TITLES

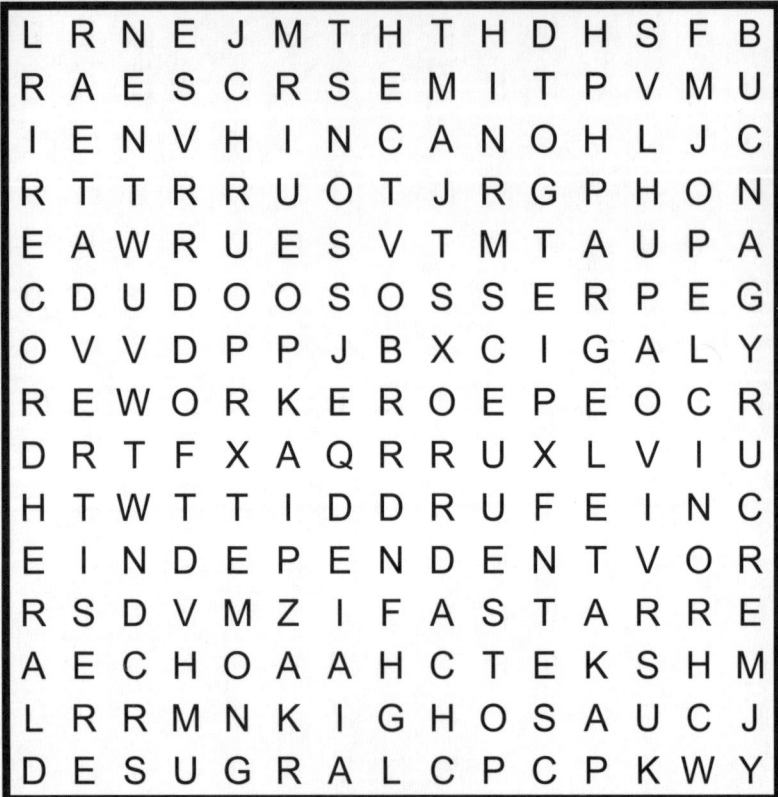

```
L R N E J M T H T H D H S F B
R A E S C R S E M I T P V M U
I E N V H I N C A N O H L J C
R T T R R U O T J R G P H O N
E A W R U E S V T M T A U P A
C D U D O O S O S S E R P E G
O V V D P P J B X C I G A L Y
R E W O R K E R O E P E O C R
D R T F X A Q R R U X L V I U
H T W T T I D D R U F E I N C
E I N D E P E N D E N T V O R
R S D V M Z I F A S T A R R E
A E C H O A A H C T E K S H M
L R R M N K I G H O S A U C J
D E S U G R A L C P C P K W Y
```

ADVERTISER	JOURNAL	SKETCH
ARGUS	MAIL	SPORT
CHRONICLE	MERCURY	STANDARD
COURIER	OBSERVER	STAR
ECHO	POST	TELEGRAPH
GAZETTE	PRESS	TIMES
HERALD	RECORD	VOICE
INDEPENDENT	REPORTER	WORKER

MUSEUM PIECE

```
V W B K Q Z S E H T O L C O I
U P F J N U K N O W L E D G E
P W E A P O N S C A R V I N G
A T M Y A Q I X O E D S W P F
A O K A Y W C T R U M W Z E T
R R P G R C A U A T V U J G G
L G B I M T S P K N U E Y A N
R Q D U R A E T O R O D N T I
W E M I E T S F I T E D O I N
V M C R S I L A A X T R Z R R
Y G T O R P R O H C J E X E A
V M W U R M L I O E T L R H E
J I O T O D B A G H Z I G Y L
E T Q U W I S B Y H C C H R G
H Y R O T S I H M M O S A I C
```

ARMOUR	HERITAGE	RELICS
ARTEFACT	HISTORY	ROMAN
CARVING	KNOWLEDGE	SCHOOL TRIP
CASES	LEARNING	SOUVENIR
CLOTHES	MOSAIC	TOURIST
DISPLAY	MUMMY	TREASURE
DONATION	POTTERY	TUDOR
EXHIBIT	RECORDS	WEAPONS

THEY COME IN PAIRS

```
O S Y T R S M V L M I T F G S
E Q J V T K F S C G R A C O T
K S S R K Q S M T I M S H C E
Z Z O R S N H B J H A Q O Z N
M H J E E X I X O C G E P T A
S K F T S C R C A O S I S L T
R Q T T S Z N R K A T W T S S
E I S W A O A I N E O S I G A
M S R E L M Y D P L R I C N C
O K E E G S A A L J Z S K I Y
O C N Z H L N E N F E K S K M
L O I E S T B G L O V E S C B
B S A R S R E I L P C N I O A
L R R S C I S S O R S S H T L
S G T G X S R E P P I L S S S
```

BELLOWS	KNICKERS	SHEARS
BLOOMERS	MARACAS	SHORTS
BOOTS	MITTENS	SLIPPERS
CASTANETS	PANTS	SOCKS
CHOPSTICKS	PINCERS	STOCKINGS
CYMBALS	PLIERS	TIGHTS
GLASSES	SANDALS	TRAINERS
GLOVES	SCISSORS	TWEEZERS

```
Q M L L A B Y E L L O V L F E
B R I N G E V S E L B R A M L
K E G D I R B M S Q K D T O B
T H X U W A Y X K X E B O B B
A U U R E K O O N S E P L A A
B I E J H A W U I N S F E S R
L P K T G I X F W C D X P K C
E I D I A A U G Y H N R E E S
T N O M D R J N L E A O E T C
E G M S A O A U D C E U P B H
N P I O E H M K D K D L O A E
N O N N V V J K I E I E B L S
I N O P M M E O T R H T X L S
S G E Y P S I N N S J T Z E C
A T S A N A C L S G G E W I Y
```

AIKIDO	HIDE AND SEEK	POOL
BASKETBALL	I-SPY	ROULETTE
BO-PEEP	KARATE	SCRABBLE
BRIDGE	KUNG FU	SEVENS
CANASTA	MAH-JONG	SNOOKER
CHECKERS	MARBLES	TABLE-TENNIS
CHESS	PELOTA	TIDDLYWINKS
DOMINOES	PING-PONG	VOLLEYBALL

LOOK SHARP!

```
N R B A T E L T S I H T J P C
S K K R C H Q R H D R W R G A
B S G C H U D B A I E O A R C
F S G U I E D J R Z J E Z Q T
N D W L S R D H P E L P O C U
E X L A E V P G C D K T R D S
D L M S L Y V T E I T T S E N
A N L P K C I E E H L N C T S
L M E E Q O N V S O O U A N G
B A D A N J R Z W L T G I I N
Z T N R O K I P A L N P D O A
W K S C O R V T A Y N R P P F
X T W I E W M S C I S S O R S
K N I R E T S N A N N Z B H P
O E F I N K B C Q R W H I H T
```

BLADE	KNIFE	RAZOR
CACTUS	LANCET	SCISSORS
CHISEL	NEEDLE	SHARP
CLAWS	PINS	SPEAR
CUTLASS	POINTED	SWORD
FANGS	PRICK	TALONS
HEDGEHOG	PROJECTION	THISTLE
HOLLY	QUILL	THORN

IN THE MOOD

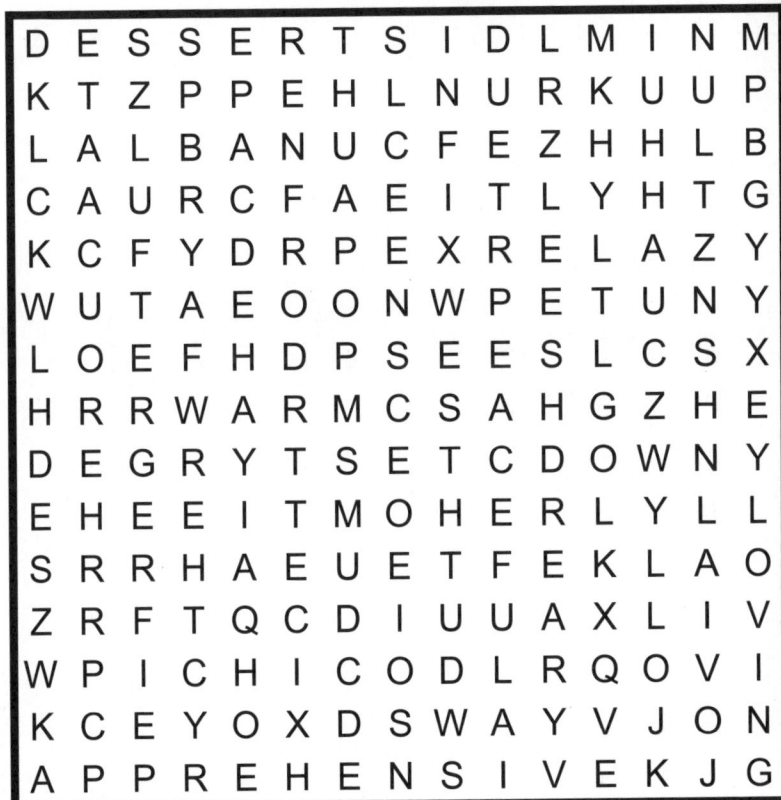

```
D E S S E R T S I D L M I N M
K T Z P P E H L N U R K U U P
L A L B A N U C F E Z H H L B
C A U R C F A E I T L Y H T G
K C F Y D R P E X R E L A Z Y
W U T A E O O N W P E T U N Y
L O E F H D P S E E S L C S X
H R R W A R M C S A H G Z H E
D E G R Y T S E T C D O W N Y
E H E E I T M O H E R L Y L L
S R R H A E U E T F E K L A O
Z R F T Q C D I U U A X L I V
W P I C H I C O D L R Q O V I
K C E Y O X D S W A Y V J O N
A P P R E H E N S I V E K J G
```

APPREHENSIVE	EXCITED	REGRETFUL
CAREFREE	GLUM	SULLEN
CROSS	HOPEFUL	TEARFUL
DISTRESSED	JOLLY	TESTY
DOWN	JOVIAL	TETCHY
DREADFUL	LAZY	TOUCHY
DREARY	LOVING	WARM
ECSTATIC	PEACEFUL	WORRIED

HALLOWE'EN

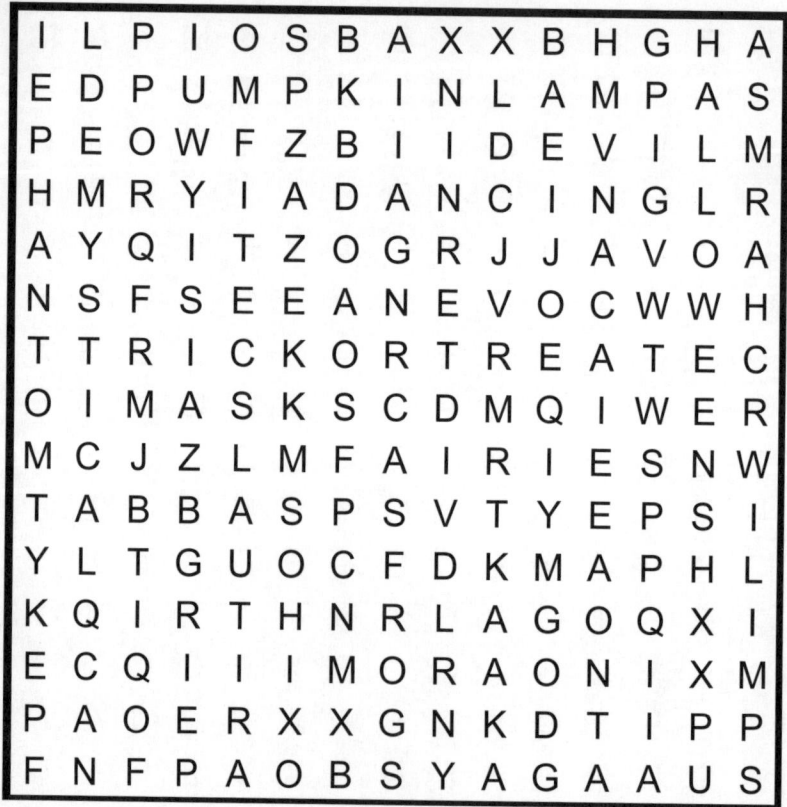

```
I L P I O S B A X X B H G H A
E D P U M P K I N L A M P A S
P E O W F Z B I I D E V I L M
H M R Y I A D A N C I N G L R
A Y Q I T Z O G R J J A V O A
N S F S E E A N E V O C W W H
T T R I C K O R T R E A T E C
O I M A S K S C D M Q I W E R
M C J Z L M F A I R I E S N W
T A B B A S P S V T Y E P S I
Y L T G U O C F D K M A P H L
K Q I R T H N R L A G O Q X I
E C Q I I I M O R A O N I X M
P A O E R X X G N K D T I P P
F N F P A O B S Y A G A A U S
```

BATS	HALLOWEEN	POTION
CHARMS	IMPS	PUMPKIN LAMP
COVEN	MAGIC	RITUALS
DANCING	MASKS	SABBAT
DEVIL	MISCHIEF	SPOOKY
EERIE	MYSTICAL	TOADS
FAIRIES	PAGAN	TRICK OR TREAT
FROGS	PHANTOM	WIZARDRY

MATERNITY WARD

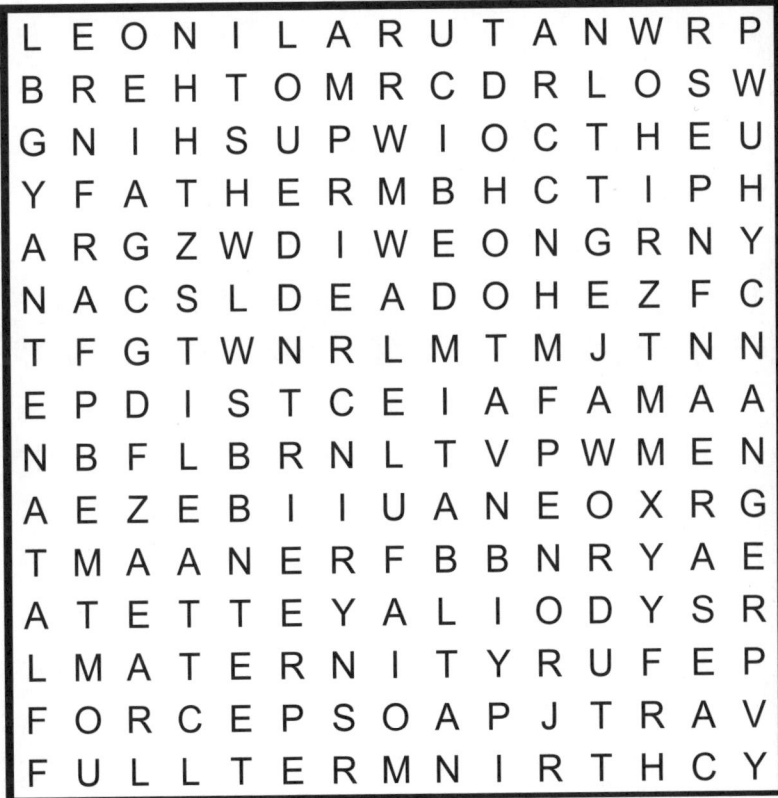

```
L E O N I L A R U T A N W R P
B R E H T O M R C D R L O S W
G N I H S U P W I O C T H E U
Y F A T H E R M B H C T I P H
A R G Z W D I W E O N G R N Y
N A C S L D E A D O H E Z F C
T F G T W N R L M T M J T N N
E P D I S T C E I A F A M A A
N B F L B R N L T V P W M E N
A E Z E B I I U A N E O X R G
T M A A N E R F B B N R Y A E
A T E T T E Y A L I O D Y S R
L M A T E R N I T Y R U F E P
F O R C E P S O A P J T R A V
F U L L T E R M N I R T H C Y
```

ANTENATAL	FULL TERM	NATURAL
BIRTH	HEARTBEAT	NEWBORN
CAESAREAN	LABOUR	NINE MONTHS
DELIVERY	LAYETTE	PREGNANCY
DOCTOR	MATERNITY	PREMATURE
FATHER	MIDWIFE	PUSHING
FIRST CRY	MONITOR	SCAN
FORCEPS	MOTHER	WEIGHT

RODENTS

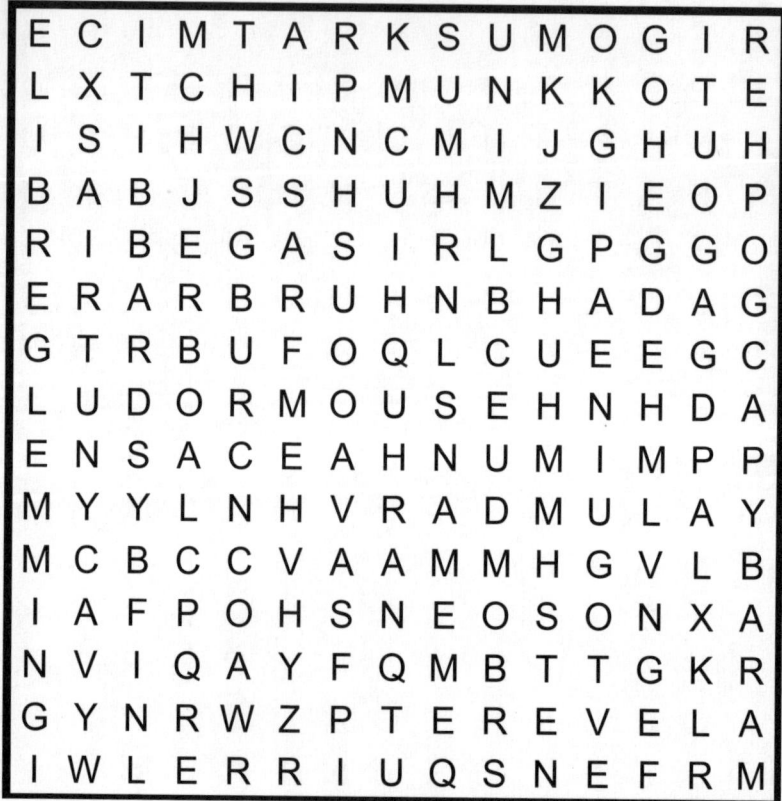

```
E C I M T A R K S U M O G I R
L X T C H I P M U N K K O T E
I S I H W C N C M I J G H U H
B A B J S S H U H M Z I E O P
R I B E G A S I R L G P G G O
E R A R B R U H N B H A D A G
G T R B U F O Q L C U E E G C
L U D O R M O U S E H N H D A
E N S A C E A H N U M I M P P
M Y Y L N H V R A D M U L A Y
M C B C C V A A M M H G V L B
I A F P O H S N E O S O N X A
N V I Q A Y F Q M B T T G K R
G Y N R W Z P T E R E V E L A
I W L E R R I U Q S N E F R M
```

AGOUTI	GERBIL	LEVERET
BEAVER	GOPHER	MARMOT
CAPYBARA	GROUNDHOG	MICE
CAVY	GUINEA PIG	MUSKRAT
CHINCHILLA	HAMSTER	MUSQUASH
CHIPMUNK	HEDGEHOG	NUTRIA
COYPU	JERBOA	RABBIT
DORMOUSE	LEMMING	SQUIRREL

THE GARDEN POND

```
R N P Z E R W Z R E M P Q D Q
W B V R C E J B E U X P G Z T
M M G L K T F C N C P I O A K
S C S A N L N I I A G U E O E
T B Z U W I D I L R S R M F L
O D A E A F A V A P A Q R P H
N S D L P R I V C T N O U H W
E D M P S Y E G I G N C S A O
S A N P G L A O I E G U S I N
X O H I O B N S D N R T O Q N
H T N R R E E L I L A N K F I
H T Z E F D O K L T S Y U O M
K Y P Z W G R U U B S M R P I
F R I E Z T B E R V E P J X L
H H C F D J S T Z C S H I Y B
```

AERATION	GOLDEN ORFE	NYMPH
BULLRUSH	GRASSES	POOL
CARP	GRAVEL	PUMP
DEPTH	KINGCUP	RIPPLE
DESIGN	KOI	SLABS
FILTER	LINER	STATUE
FOUNTAIN	MINNOW	STONES
FROGSPAWN	NEWTS	TOADS

SOCCER MATCH

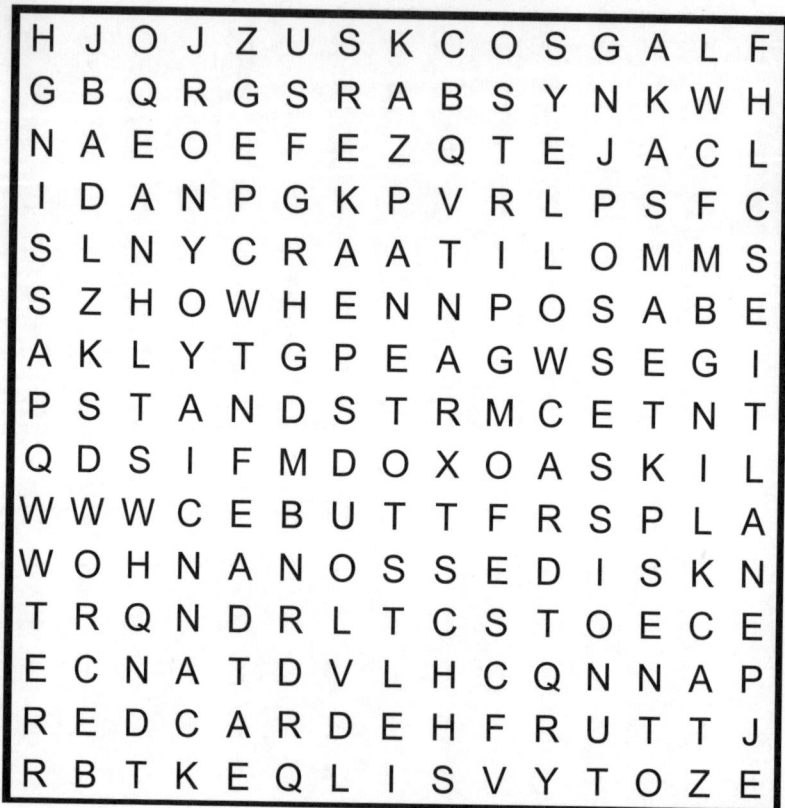

```
H J O J Z U S K C O S G A L F
G B Q R G S R A B S Y N K W H
N A E O E F E Z Q T E J A C L
I D A N P G K P V R L P S F C
S L N Y C R A A T I L O M M S
S Z H O W H E N N P O S A B E
A K L Y T G P E A G W S E G I
P S T A N D S T R M C E T N T
Q D S I F M D O X O A S K I L
W W W C E B U T T F R S P L A
W O H N A N O S S E D I S K N
T R Q N D R L T C S T O E C E
E C N A T D V L H C Q N N A P
R E D C A R D E H F R U T T J
R B T K E Q L I S V Y T O Z E
```

BANNER	LOUDSPEAKERS	SCARVES
BENCH	MANAGER	SIDES
CROWDS	MASCOTS	STANDS
FANS	PASSING	STRIP
FLAGS	PENALTIES	TACKLING
GOALS	PITCH	TEAMS
GROUND	POSSESSION	TURF
LINESMEN	RED CARD	YELLOW CARD

TIME FOR BED

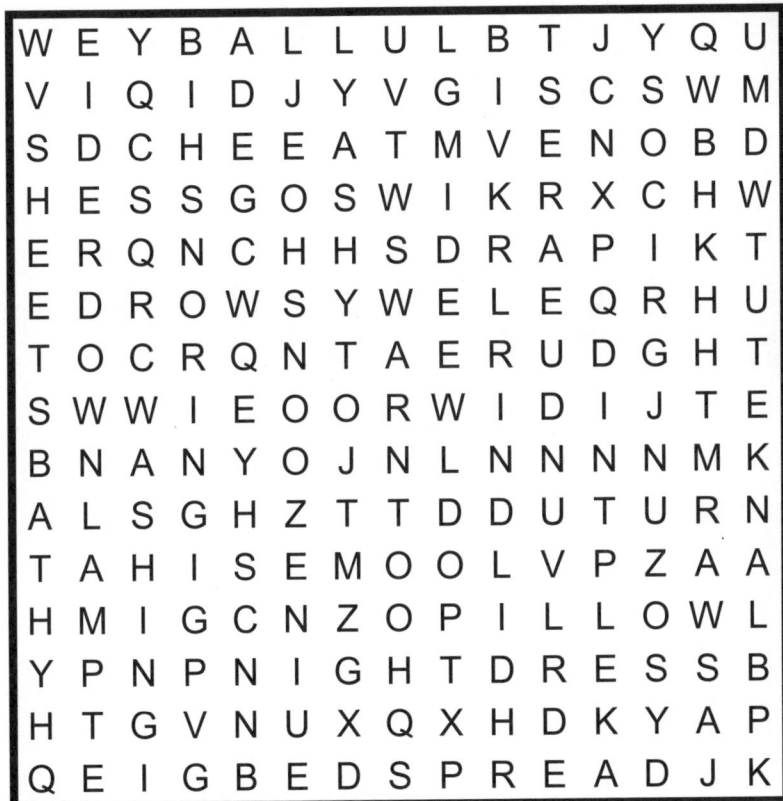

```
W E Y B A L L U L B T J Y Q U
V I Q I D J Y V G I S C S W M
S D C H E E A T M V E N O B D
H E S S G O S W I K R X C H W
E R Q N C H H S D R A P I K T
E D R O W S Y W E L E Q R H U
T O C R Q N T A E R U D G H T
S W W I E O O R W I D I J T E
B N A N Y O J N L N N N N M K
A L S G H Z T T D D U T U R N
T A H I S E M O O L V P Z A A
H M I G C N Z O P I L L O W L
Y P N P N I G H T D R E S S B
H T G V N U X Q X H D K Y A P
Q E I G B E D S P R E A D J K
```

BATH	GOODNIGHT	SHEETS
BEDSPREAD	LAMP	SNOOZE
BLANKET	LULLABY	SNORING
COCOA	NIGHTDRESS	TIRED
COSY	PILLOW	UNDRESSED
DOZING	QUILT	WARMTH
DROWSY	RELAX	WASHING
EIDERDOWN	REST	YAWN

BREAD

```
F Z U N L L G E K B N L R Y E
P Q O B O A R D T S A E Y N B
F A P M R U Z A H L Q K G W S
N Q T L O I W H O L E M E A L
Q K I L W F S S H I Z G U R K
I C F S C C R I G V E C A D A
N E V O J R H E N M E U A B N
M S C P K G O A N G I Z D A Q
L Y N R U N Q U P C T L A T R
R O I O U I E E T A H N L E M
O M D V V M D A T O T L E E A
L B H I P W B Z D I N T B E R
L H F N Q L W S U F H E I B S
S P L G V Z Y Q K X B W R P T
T S A O T V B Z W H E A T T E
```

BAGEL	FRENCH	ROLLS
BAKER	GARLIC	RYE
BOARD	KNEAD	SAUCE
CHAPATTI	MILLER	TOAST
CROUTON	NAAN	WHEAT
CRUMBS	OVEN	WHITE
DOUGH	PROVING	WHOLEMEAL
FLOUR	RISING	YEAST

BIBLE CHARACTERS

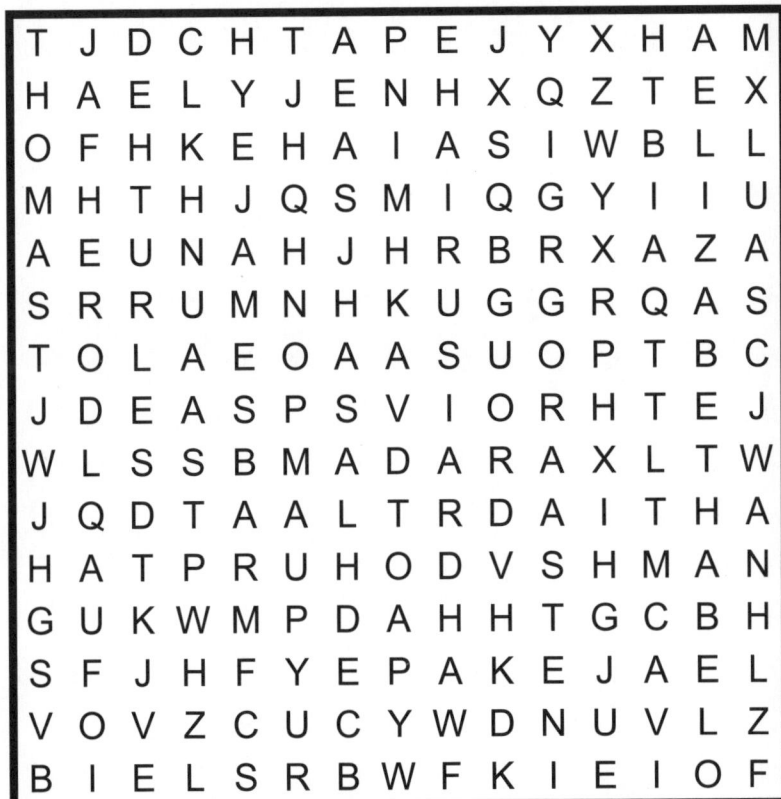

```
T J D C H T A P E J Y X H A M
H A E L Y J E N H X Q Z T E X
O F H K E H A I A S I W B L L
M H T H J Q S M I Q G Y I I U
A E U N A H J H R B R X A Z A
S R R U M N H K U G G R Q A S
T O L A E O A A S U O P T B C
J D E A S P S V I O R H T E J
W L S S B M A D A R A X L T W
J Q D T A A L T R D A I T H A
H A T P R U H O D V S H M A N
G U K W M P D A H H T G C B H
S F J H F Y E P A K E J A E L
V O V Z C U C Y W D N U V L Z
B I E L S R B W F K I E I O F
```

ABEL	HEROD	LEAH
ADAM	ISAIAH	LOT
AHAB	ISHMAEL	RUTH
ELISHA	JAEL	SAUL
ELIZABETH	JAMES	THADDAEUS
ESAU	JEHU	THOMAS
EVE	JETHRO	URIAH
HAM	JOB	ZECHARIAH

TRAYS OF COCKTAILS

```
A R I H C I H C P B A T I D A
S A K E T I N I A Y A Q D E C
Z T L R F N Y I N H C C P S H
K P I N A C O L A D A E M C U
F V A N A W J R M M L A T R I
S C N P G I O X A U N Z E E I
A O Y O P E S N J H N O V W A
L B T H N A R S A I C M L D W
T B S S Z R R T U M S B E R A
Y L U I O C T A M R C I V I H
D E R B M A S P D J K E K V E
O R R G N I L S N I G C C E U
G O L D E N B R E W S B A R L
Y O K L A W N O O M B E L L B
I Z Z I F S K C U B A Q B Q B
```

BATIDA	GIN SLING	PINA COLADA
BISHOP	GOLDEN BREW	ROB ROY
BLACK RUSSIAN	JULEP	RUSTY NAIL
BLACK VELVET	MANHATTAN	SAKETINI
BLUE HAWAII	MAN O'WAR	SALTY DOG
BUCK'S FIZZ	MOONWALK	SCREWDRIVER
CHI-CHI	PANAMA	STINGER
COBBLER	PARADISE	ZOMBIE

RIVERS OF THE WORLD

```
X O X S M S I K Y C H D P G S
M A Y Y Y D G H U D S O N E J
K J I R E R E D O E X A O K X
B E E D F L D L T R U H R I Y
N A H A V E L A A H X D R D U
A E N O H R R O R W E E U N K
T R L F N H E F W Y A O B O O
X G P S P I T S L N A R V L N
A D O U R O A H H I O K E K E
M B E T Y H A G S G N N F F F
T D H C W T I O A E A D X J Y
M G N O K E M N N R H X E C I
I W D N L M J J E I A S W R O
L M C G E Y I J C U L I B S S
X E W O W J M J X Y H E H B T
```

CONGO	HUDSON	RHINE
DELAWARE	KLONDIKE	RHONE
DOURO	LENA	RUHR
ELBE	MEKONG	SOMME
EUPHRATES	NIAGARA	SYR DARYA
FLINDERS	NIGER	VOLGA
HAVEL	NILE	YELLOW
HUANG	ODER	YUKON

HOLES AND SPACES

```
T N E V C D Z O A V S G F M V
P I Q O B S B C M T U O P S W
P A Q E L O H W O L B G Y D B
G R A M X L A I T G R S T I N
E D K D B R F E S C L Y I V N
L B U R R O W L G R T K V O C
O K J E A E J O O A Y U A T K
H T N G B E E H K T S W C Y G
X E D N T H X R T E O S N F M
O T C I J P I I U R Y N A O A
F R Y N R J S A M T A H R P Q
A E C E K Q F H T R R T O Z A
B N V P D J O Q C U I E F L J
A C H O L L O W G S S W P N E
X H C R E V I C E L O H N A M
```

AIR HOLE	DIVOT	OPENING
APERTURE	DRAIN	PASSAGE
BLOWHOLE	FOXHOLE	SPOUT
BURROW	HIATUS	STOMA
CAVITY	HOLLOW	TRENCH
CRANNY	KEYHOLE	VENT
CRATER	MANHOLE	WARREN
CREVICE	MORTISE	WORMHOLE

```
I  V  T  O  S  E  A  F  G  H  H  W  G  Z  A
S  K  T  O  I  Z  C  S  M  O  K  E  O  R  G
I  F  J  S  M  Z  G  L  U  Q  R  L  Q  J  A
R  S  S  N  A  T  I  T  W  D  Z  G  O  P  Y
E  E  E  Y  M  R  M  E  T  J  E  R  O  V  A
N  I  I  S  V  F  R  C  N  D  U  M  V  N  B
S  P  R  G  L  E  W  I  E  A  R  A  A  A  A
M  R  U  R  W  E  F  R  T  I  L  A  S  K  B
I  A  F  O  J  F  I  N  S  K  P  I  G  P  W
N  H  L  K  I  P  E  P  Y  P  L  L  H  O  S
O  F  K  R  M  C  H  R  N  I  O  Z  E  Y  N
T  G  G  A  T  V  I  Q  S  I  X  L  L  K  M
A  V  V  K  S  E  I  K  V  D  R  P  C  Z  A
U  P  L  E  S  A  R  E  M  I  H  C  T  Y  P
R  X  I  N  E  O  H  P  H  S  J  J  J  W  C
```

BABA YAGA	GRIFFIN	SIRENS
BASILISK	HARPIES	SLEIPNIR
CENTAUR	KELPIE	SYLPHS
CHIMERA	KRAKEN	TITANS
CYCLOPS	MEDUSA	VALKYRIES
DRAGON	MINOTAUR	VAMPIRE
FURIES	NESSIE	VOLKH
GORGON	PHOENIX	WEREWOLF

PALINDROMES

```
N U T F D L N F P U L L U P S
Z R E E J E S C J S H E R Y A
B H E B N O I O Z T H V O P G
A D A V Q V R Y K A Q E T E A
B V Q N I Q A S C T W L A E S
G L V C N V S E E S R T T P E
T E N E T A E O R N G N O U O
A O A R H T H R F T O Q R T M
M A D A M P Y R D O X K E U R
S H A H S K A E N V K Q W P E
O R Q G P C I Q R A K E C K D
L O E E E F J E D C P X R A D
O T N C I W F Z G O K S K Y E
S O A E G E Z F N U R V F A R
R R D W R V R E P A P E R K Y
```

CIVIC	PEEP	ROTATOR
DEED	PULL UP	ROTOR
DEIFIED	PUT UP	SAGAS
HANNAH	RACECAR	SEES
KAYAK	REDDER	SHAHS
LEVEL	REFER	SOLOS
MADAM	REPAPER	STATS
NOON	REVIVER	TENET

```
E K Z F N Z C Q Y T F M I Z B
L C F F K E L T S I H W U I X
W T H U D R U M M I N G Z H B
O H N O I T A R E B R E V E R
Y Z M I K N O C K C X F T E A
G N I G N I P H R J Q H N N Y
A M T Q O G G I N A Z Z I F C
E M E I H J K M Q K C A M S E
H J E Q P P A E D V C K T C S
G I W F G E E N I H W B A R K
S Y T B L A S T T F D L I A W
K R E G Z L D K U E M S J T L
R H V L W I H L E Q Y L A C O
B V C O P N M D V U Q S R H C
D U H I D G D Q G W F F V P K
```

BARK	HISS	SMACK
BLAST	HONK	THUD
BRAY	HOWL	TWEET
CHIME	KNOCK	WAIL
CRACK	PEALING	WHINE
DRUMMING	PINGING	WHISTLE
ECHO	REVERBERATION	YELP
FIZZ	SCRATCH	YOWL

TAKE A BOAT TRIP

```
D R T I C N A R R O W B O A T
B R G A L L E Y L I G H T R C
L A E H H B O B U T H M A G W
O G R D B L C R H U H S C O W
C F H G G I G U C V B I L S H
B O A R E E R T T H C O Z Y A
W G R I Q H R E B T A G A T L
X Y K I C B K L M K E T D T E
Y K Y N C C H M S E S R F O R
A P U A A F R E I G H T E R C
W A N P C R S W U M C A P J S
L O K A I H D T Q P D A M S R
E Q H Z U T T S M U D V O K D
N A R A M I R T T S J U N K X
A I R C R A F T C A R R I E R
```

AIRCRAFT CARRIER

ARGOSY

ARK

BARGE

BIREME

CANOE

CUTTER

DHOW

DREDGER

FREIGHTER

GALLEY

JUNK

LAUNCH

LIGHT

LORCHA

NARROWBOAT

PACKET

SCOW

TRIMARAN

TUG

U-BOAT

WHALER

YACHT

YAWL

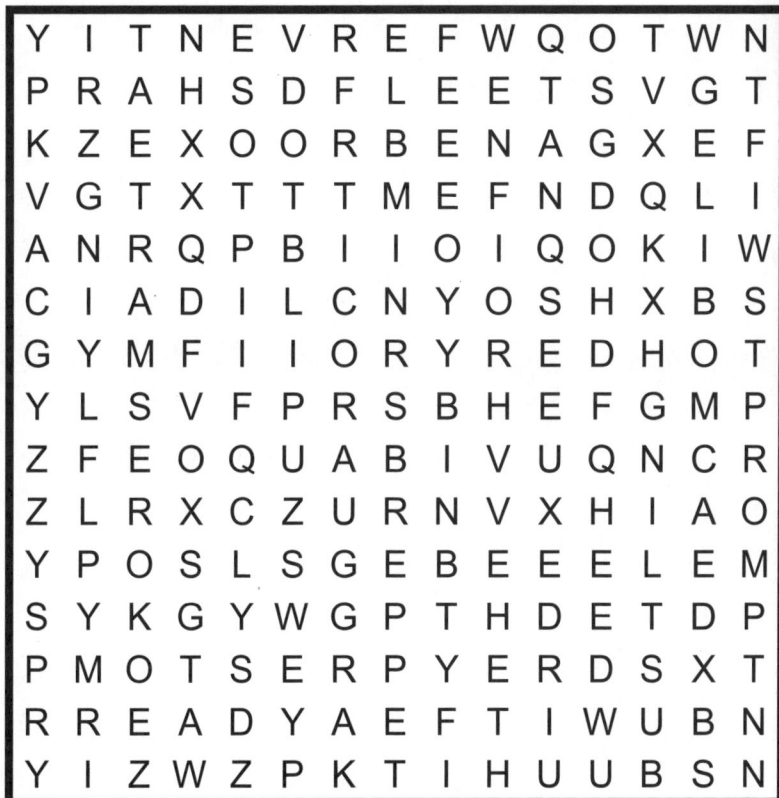

QUICK!

```
Y I T N E V R E F W Q O T W N
P R A H S D F L E E T S V G T
K Z E X O O R B E N A G X E F
V G T X T T M E F N D Q L I
A N R Q P B I I O I Q O K I W
C I A D I L C N Y O S H X B S
G Y M F I I O R Y R E D H O T
Y L S V F P R S B H E F G M P
Z F E O Q U A B I V U Q N C R
Z L R X C Z U R N V X H I A O
Y P O S L S G E B E E L E M
S Y K G Y W G P T H D E T D P
P M O T S E R P Y E R D S X T
R R E A D Y A E F T I W U B N
Y I Z W Z P K T I H U U B S N
```

ALERT	FLYING	READY
BUSTLING	LIVELY	RED-HOT
BUSY	MOBILE	SCURRYING
DEFT	NIMBLE	SHARP
EXPLOSIVE	PRESTO	SMART
FAST	PROFICIENT	SPRY
FERVENT	PROMPT	SUDDEN
FLEET	RAPID	SWIFT

ARMED FORCES

```
S N L F S H U Q E J Z C N F E
M Q W P R S R C M X Q I F H C
Q C I W L O N G E N E R A L E
R H N S N P J U T X C T Y Y N
S D G K A H E A G Y V A N V S
Z S S N M R Z R M B A B X C I
A Y L A D E M D S M W M G R G
H Y Z R D A D Y M O S O E R N
Q J F I C T R U T T N C X R P
E R D A P D N S O E R N O F L
D N A M R I A O E U E L E J A
R E K O T S B S I N I L L L T
V C F I M K B T S A A B F H O
M S O L D I E R S Y W L T E O
T N B L Y K K R F S U M B D N
```

AIRMAN	GENERAL	PLATOON
AMMUNITION	GUARD	RANKS
ARMY	GUNS	RECRUIT
ARSENAL	MAJOR	SAILOR
BOOTS	MEDAL	SHIPS
COMBAT	NAVY	SOLDIER
ENSIGN	PADRE	STOKER
FLEET	PERSONNEL	WINGS

ONE-ARMED BANDIT

```
S A D W Z U R J Y E H T P S L
R E M H H R W B D C U O B D S
A F L S T S W A S O H L E N W
B R H B T T C I N R E S L U V
D U D A U R R N N A N B L O O
W I R J A O E Z W N N U S S T
J T L W I N D O W G I R D I F
S S M A C H I N E E E N D G A
E E M C F X T W X L S N G A E
A S I A T L S C E T A M V M H
S W T R E H G I H B M U U B C
I L L H R R E V E L Z S R L Q
D R R R G E J A C K P O T E P
E V B I K I H Y L W V V I O C
P G K E C I L C S N O M E L D
```

ARCADE	GAMBLE	ORANGE
BANDIT	HIGHER	PLUMS
BARS	JACKPOT	SEASIDE
BELLS	LEMONS	SLOT
CHERRIES	LEVER	SOUNDS
CREDITS	LIGHTS	START
DOUBLE	MACHINE	WINDOW
FRUITS	NUDGE	WINNING

PARLIAMENT

```
L G J Z E C G T D I B C I A J
B N Y A R Q O O A Z Y Y K I T
A I M S V R R M S S E C E R R
H T R E Y K E H U S T I N G S
E T O I C N E O E J V N L X B
A I L A D M I T T I V L W W H
L S L M K Y G F A T D B Y C A
T B E M P L T D B D V G O H N
H N C U A K U R E T I M P F S
T P N W S C V A D Q M D J L A
U J A N H E E W Y I C S N I R
V H H R O I A W T B E O W A D
E M C J T T P T H T B X U V C
S D R O L Y E T O I X O J N Z
S L L I B E J V E C G F L M T
```

AMENDMENT	HANSARD	SEAT
BILLS	HEALTH	SITTING
BLACK ROD	HUSTINGS	TORY
CANDIDATE	LOBBY	VETO
CHANCELLOR	LORDS	VOTES
COMMITTEE	MACE	WARD
COUNT	PARTY	WHIG
DEBATE	RECESS	WHIP

BETTER AND BETTER

```
W V N T B J A C U T A B O V E
R O M C R E V I S E R O X W R
C E J H E A L E D G N P B S E
I U T O U C H U P T V I U Z T
R S R E N I F E H R G P C L A
K T Y E E T R E N G E P R E E
R R F G D W M E E R O V M J R
E O I E Y E S R I L I H A U G
T N T D N N D O I H H C H M W
R G T D Z H R S M Q T P H N P
A E E W W A H A V R R R P L T
M R R E B N W P W H O U O X C
S S L Y Z C H I J I R F B W X
R L K Y Y E D H L O N G E R F
U Z R E I H T L A E H Q T R Y
```

A CUT ABOVE	HEALED	REVISE
BIGGER	HEALTHIER	SMARTER
CURED	LONGER	STRONGER
ENHANCE	NICER	SUPERIOR
ENRICH	ON THE MEND	SWEETER
FINER	POLISH	TOUCH UP
FITTER	REFORM	WELL
GREATER	REVAMP	WORTHIER

EUROPEAN COUNTRIES

```
I V F V Z B I S W M Z N U O F
O C A N O M U W Z V W J C X K
S G S I A R H Y A T L A M D J
W R B Z A Q A U K O A I L R B
I U G L X W M S N B Q T Q O G
T O E G R E E C E G B A P M Q
Z B O O C R T N F A A O R A P
E M N F B R I J R R K R K N A
R E G I R A M R A Y A C Y I I
L X A A R O O I L S A N N A R
A U Z K L D N A L O P A C Y A
N L U D N O T E L H B A H E G
D W O A T I D N A L E C I X L
E V M S P I R B A O U X C N U
A N E D E W S A A I S S U R B
```

ALBANIA	HUNGARY	POLAND
ANDORRA	ICELAND	ROMANIA
BELARUS	ITALY	RUSSIA
BULGARIA	LUXEMBOURG	SERBIA
CROATIA	MALTA	SPAIN
ESTONIA	MOLDOVA	SWEDEN
FRANCE	MONACO	SWITZERLAND
GREECE	NORWAY	UKRAINE

'FOOT' FIRST

X	H	F	J	Y	B	D	R	M	R	K	C	V	X	S
J	X	F	W	V	T	H	A	A	P	P	N	X	O	U
J	P	R	I	N	T	S	E	P	L	M	L	L	F	R
R	A	E	W	B	T	G	A	H	W	G	D	A	Q	E
H	O	L	D	E	R	B	X	U	X	I	N	O	T	A
H	S	W	P	J	N	A	A	X	E	E	Q	M	D	E
G	T	E	V	S	W	P	K	R	G	P	E	F	L	O
D	Q	A	C	E	T	O	Q	E	N	G	E	W	A	Y
M	X	S	B	A	R	A	R	T	I	Q	G	M	S	T
D	O	C	T	D	R	E	L	K	G	S	D	R	J	R
E	R	O	S	W	O	N	V	L	G	D	I	T	H	A
K	F	M	K	K	G	C	B	E	O	P	R	E	H	F
Q	A	J	A	D	R	J	T	Z	L	B	B	V	O	F
S	L	T	U	O	Q	A	V	O	S	T	O	O	L	I
Y	L	A	G	X	L	W	M	Q	R	Z	J	E	M	C

BATH	MARK	STALL
BRAKE	PAD	STEP
BRIDGE	PLATE	STOOL
DOCTOR	PRINTS	SURE
FALL	RACES	TRAFFIC
GEAR	SLOGGING	WAY
HOLD	SOLDIER	WEAR
LEVER	SORE	WORK

VERY GOOD-LOOKING

```
G I J K B G E H S I L Y T S B
Y B G R A N D W B N J Y R V T
P N S M I B P G I U W B A E G
R O N F E T C H I N G T M S C
E H G O R G E O U S S O S I V
S G P N B Y I Y L R S O N D G
E V E I P K L U L D E E M L T
N R R A O J F E N E G P A E N
T W S L K I F A M O P M P N A
A A O L T A H N T O O A K A I
B Y N U I M F O X R C D H T D
L J A R J D H D O W I C L S A
E E B I R P G U L S S U U L R
B L L N P Y S E H Y T T E R P
E M E G Z N B Y F Y L E V O L
```

ALLURING	FETCHING	PHOTOGENIC
BEAUTIFUL	FINE	PRESENTABLE
BONNY	GLAMOROUS	PRETTY
COMELY	GORGEOUS	RADIANT
CUTE	GRAND	SHAPELY
DAPPER	HANDSOME	SMART
DISHY	LOVELY	STYLISH
FAIR	PERSONABLE	WINSOME

REPAIR JOB

```
F L R R L U A H R E V O U L H
S V M E L I O R A T E E Q I R
M E E A D D B Z I W E L I T E
N X I S E R V I C E Q B B D T
I S R G J D E E R R B B O F A
Q H E E I E A S E E R O C J V
A C V W J R V R S N G C T P O
N I A T N I A M N E P F S P N
T S Y R F N G V K W U Z U M E
C N F A E E V A F R T E J A R
E T I H M S M O T E R L D V G
R J T O C E T T Y F I L A E H
R P C K P T N O Q I G L F R G
O P E Z D E A D R T H X I F K
C R R A W G R P I E T V C K I
```

ADJUST	MAKE GOOD	REJIG
AMEND	MELIORATE	RENEW
COBBLE	OVERHAUL	RENOVATE
CORRECT	PATCH	REPOINT
DARN	PUT RIGHT	RESTORE
FIX	RECTIFY	REVAMP
HEAL	REDRESS	SERVICE
MAINTAIN	REFIT	SEW

JEWEL BOX

```
Z T X N F X D X L A P P D X P
I O B E R Y L Q F L H J C I Z
R D C O R N E L I A N M A D V
C I J V P O I G A R N E T D X
O R K E C O Z W I T O P A Z E
N E D E T I S U L A D N A Q M
X P T Y E T I R D N A X E L A
L E N I P S Q P S H W F C I L
R U E Q Z U Y A Q V Q Y E D A
F E Y M A N P O P A L N L N C
A F B R E P U G W W I R C O H
R G T M H R A K J V A F C M I
A Z A I A C A I I E R L S A T
E R R T I S T L P R U B Y I E
U E N L E W O K D N L U S D C
```

AGATE	GARNET	PEARL
ALEXANDRITE	JADE	PERIDOT
AMBER	JET	QUARTZ
ANDALUSITE	KUNZITE	RUBY
BERYL	MALACHITE	SAPPHIRE
CORNELIAN	OLIVINE	SPINEL
DIAMOND	ONYX	TOPAZ
EMERALD	OPAL	ZIRCON

IRONING PILE

```
S C E D R A O B G N I N O R I
E Q R H V N P H V G B Y T F D
S H O S B S O R C U I L S L V
A R H S X K N T E R G O E A E
E M C E N S D R T S O N A T T
R Z L P R E E P C O S C M T A
C F S L L V L I G L C U S E L
W W R O E E M L E N O V R N P
I C E R Y E A O O C E T F E E
S D S T O L T T P O U N H M L
T E U N S S E L S C W F I E O
A C O O T N R I U O N M F L S
N N R C E N I G E U L O T S U
D E T U A J A H Q E M Z G D G
A K Y N M N L T X O Y B P G B
```

CHORE	IRONING BOARD	SCORCH
CLOTHES	LINEN	SEAMS
CONTROL	MATERIAL	SLEEVES
COTTON	NYLON	SOLEPLATE
CREASES	PILOT LIGHT	STAND
CUFFS	PLEATS	STEAM
FLATTEN	PRESSURE	TROUSERS
FLEX	REVERSE	WOOLLENS

GREEN THINGS

```
H F H L I G H T S G Y F K Z X
A U M L K F D F N K X L Z C R
E Q E M E R A L D G B Z F X B
J Y T F T U T A P O H K G R L
S A E P R T R G R O C E R T A
E V R A I E Z O I S G G N P K
V I E U H Z W Q B E N I C N K
I B B M S J S O L B M Y V N E
L O T R A H P Y L P I V C T G
O T J D D H E W J F E F V H A
P T E Z I A B S F L I F T K S
A L S S A R G A P M D L U R Y
R E C S V A R P P A R O U E O
T F Y S E V A E L E A E Z A R
Y Y H M E G A B B A C R O P C
```

APPLE	EMERALD	LIGHT
BAIZE	ENVY	MINT
BERET	FLY	OLIVE
BOTTLE	GOOSE	PARTY
CABBAGE	GRASS	PEAS
CARD	GROCER	RUSHES
CAULIFLOWER	JADE	SAGE
CROP	LEAVES	TURF

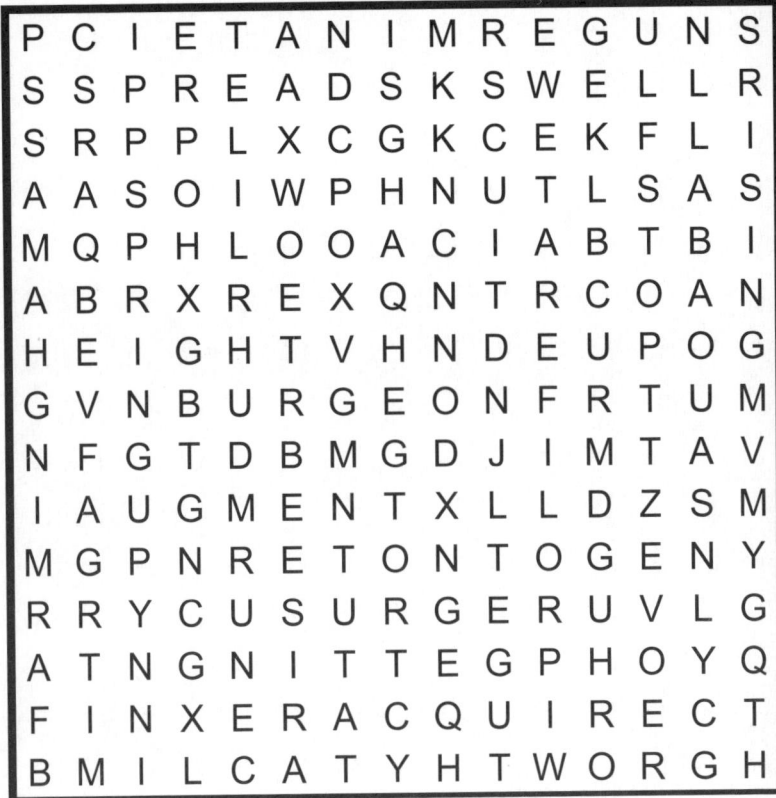

```
P C I E T A N I M R E G U N S
S S P R E A D S K S W E L L R
S R P P L X C G K C E K F L I
A A S O I W P H N U T L S A S
M Q P H L O O A C I A B T B I
A B R X R E X Q N T R C O A N
H E I G H T V H N D E U P O G
G V N B U R G E O N F R T U M
N F G T D B M G D J I M T A V
I A U G M E N T X L L D Z S M
M G P N R E T O N T O G E N Y
R R Y C U S U R G E R U V L G
A T N G N I T T E G P H O Y Q
F I N X E R A C Q U I R E C T
B M I L C A T Y H T W O R G H
```

ACQUIRE	EXPAND	ONTOGENY
AMASS	FARMING	PROLIFERATE
ARISE	GERMINATE	RISING
AUGMENT	GETTING	SPREAD
BOOM	GROWTH	SPRING UP
BURGEON	HEIGHT	STRETCH
CLIMB	INCREMENTAL	SURGE
DEVELOP	MATURING	SWELL

BIRD TABLE

```
Z U K F V R A G I R E G D U B
W U O K J L F U M O G K P A V
G R O Z T L P E R E G R I N E
F R R R T V U L V B B O B G O
Y J H R H Y B O O N T T S W
N E V A R U D D C V O S P Z M
A M C A N A R Y F Q E R M E K
E G S U S A Z M U Y E R P U
S Y I U K K W P J Y C Q B H U
T L M E Y H S S I E Z U P R R
J W T A L O X I K N C A A M J
G I O G A B R K S P T F X H W
K U G L R B T E L K U A U S Y
K X L E K Y M A R T I N I U D
M E R L I N O R O B I N F L Q
```

AUKLET	HOBBY	RAVEN
BUDGERIGAR	KITE	RHEA
CANARY	MARTIN	ROBIN
DOVE	MERLIN	ROOK
DRAKE	OSPREY	SISKIN
EAGLE	PEREGRINE	SKYLARK
GULL	PINTAIL	STORK
HERON	PLOVER	SWAN

VERY HAPPY

```
T L L G I U G E A F I B W M L
N C M G B R O N E Y V F X E U
E I S W S D G V I R L R Y R F
T D A M V M E R E H F L A R Y
N E T U I C L L A R G E O Y O
O L I A Q L A U L T J U R J J
C B S V L T I P F I I O A A D
Q U F M E X G N A R R F Y L C
D O I D P L T E G A E H I E G
E R E V E W B U D J Y E T E D
S T D E G L N I V B O K H Q D
A N F B I R A G L A D V C C M
E U E T A N U T R O F J I U P
L V H U T N A R E B U X E A L
P E C S T A T I C H U E O B L
```

BLITHE	GLAD	MERRY
CAREFREE	GLEEFUL	OVERJOYED
CHEERFUL	GRATIFIED	PLEASED
CONTENT	JOLLY	RADIANT
ECSTATIC	JOVIAL	SATISFIED
ELATED	JOYFUL	SMILING
EXUBERANT	LAUGHING	THRILLED
FORTUNATE	LUCKY	UNTROUBLED

WORKOUT AT THE GYM

```
H X V G G N I G G O J R Z A C
T Q O G N A J D R A T O E L P
R S E R Q M G R M Q V W U E U
E C V X R P P O J S U I G V L
A V D A N C E U Y A R N E E L
D B E N C H M I X U I G S R E
M T R A M P O L I N E M R A Y
I R S F I U W D I A A A O G S
L A E N I E D A I S T C H E P
L A G W I T R P S G G H J H I
J T F G O T N A A S Y I O Q N
W N H O O H G E T C Q N L P N
W T O C O E S E S R K E I A I
S E T A L I P R E S S U P S N
G Y M N A S I U M X R O S G G
```

BENCH

DANCE

FITNESS

GYMNASIUM

HORSE

JOGGING

JUMPING

LEOTARD

LEVERAGE

MASSAGE

MUDPACK

PILATES

PRESS-UPS

PULLEYS

ROWING
    MACHINE

SAUNA

SHOWER

SPINNING

STEPS

TRAINING

TRAMPOLINE

TREADMILL

WEIGHTS

YOGA

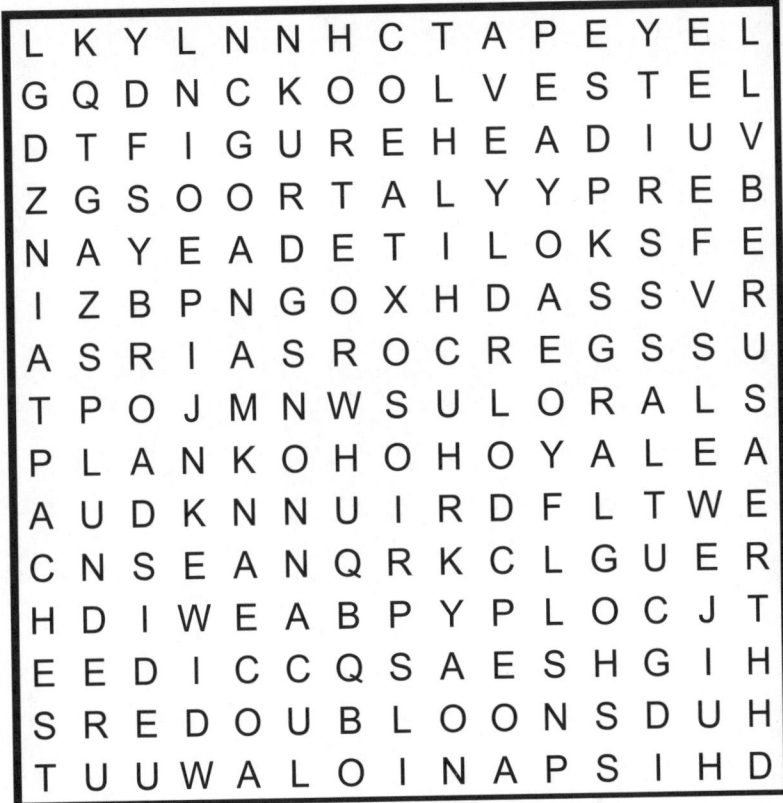

```
L K Y L N N H C T A P E Y E L
G Q D N C K O O L V E S T E L
D T F I G U R E H E A D I U V
Z G S O O R T A L Y Y P R E B
N A Y E A D E T I L O K S F E
I Z B P N G O X H D A S S V R
A S R I A S R O C R E G S S U
T P O J M N W S U L O R A L S
P L A N K O H O H O Y A L E A
A U D K N N U I R D F L T W E
C N S E A N Q R K C L G U E R
H D I W E A B P Y P L O C J T
E E D I C C Q S A E S H G I H
S R E D O U B L O O N S D U H
T U U W A L O I N A P S I H D
```

BROADSIDE	DOUBLOONS	OCEAN
CANNON	EYE PATCH	PARROT
CAPTAIN	FIGUREHEAD	PLANK
CHEST	GALLEON	PLUNDER
CORSAIRS	GOLD	RAIDER
CROW'S-NEST	HIGH SEAS	TREASURE
CUTLASS	HISPANIOLA	VESSEL
CUT-THROAT	JEWELS	YO HO HO

OPERAS

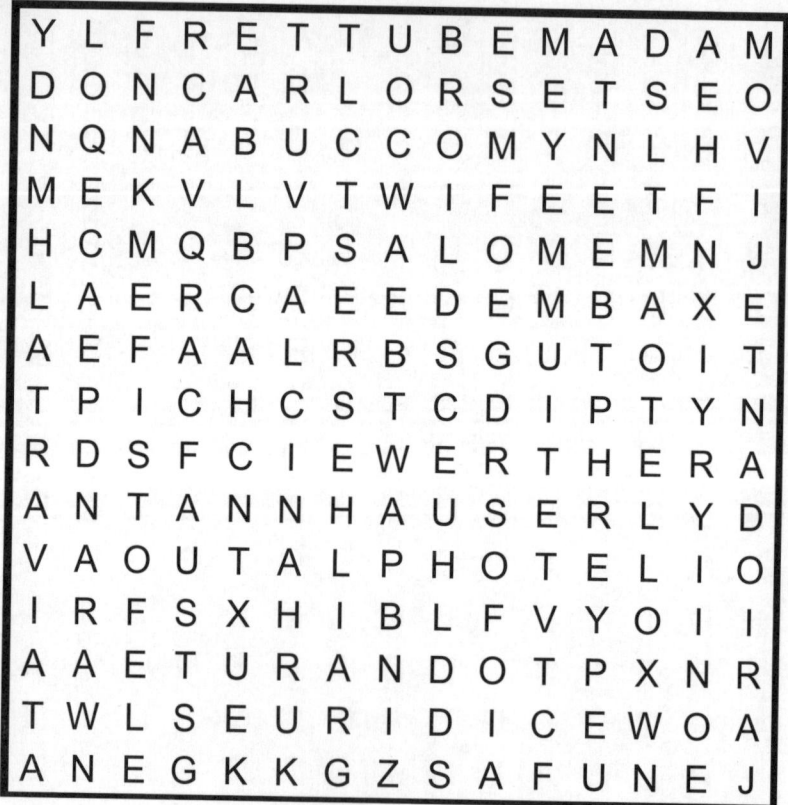

```
Y L F R E T T U B E M A D A M
D O N C A R L O R S E T S E O
N Q N A B U C C O M Y N L H V
M E K V L V T W I F E E T F I
H C M Q B P S A L O M E M N J
L A E R C A E E D E M B A X E
A E F A A L R B S G U T O I T
T P I C H C S T C D I P T Y N
R D S F C I E W E R T H E R A
A N T A N N H A U S E R L Y D
V A O U T A L P H O T E L I O
I R F S X H I B L F V Y O I I
A A E T U R A N D O T P X N R
T W L S E U R I D I C E W O A
A N E G K K G Z S A F U N E J
```

AIDA	JENUFA	SALOME
ALCINA	LA TRAVIATA	SEMELE
ARIODANTE	LULU	SERSE
CARMEN	MADAME BUTTERFLY	TANNHAUSER
DON CARLO	MEDEE	THAIS
EURIDICE	MEFISTOFELE	TURANDOT
FAUST	NABUCCO	WAR AND PEACE
I PURITANI	OTELLO	WERTHER

MONSTERS

```
D G O O N R U A T O N I M G Q
G O D Z I L L A E T X S K L N
R R C R E J V P T H F P S R N
E I E T A M V R E H O S E R
T A Q N S M M V A T W L L Y U
T B R F N E P T P H E C S O A
I N P A E D S F S I G Y H R S
R H E F K U G M P N I C E T R
M R Y K N S D N A G L A L S E
K A X D A A I F F U D S O E B
L R C S R R Z L G A G Y B D Y
U N K R F A K Z Y H S J K E C
E R C Q A H A G G E D O R Z X
G N O K G N I K H P C D L E J
F E N D A H L S H O G G O T H
```

AGGEDOR	FRANKENSTEIN	MINOTAUR
BALROG	GODZILLA	NAZGUL
CYBERSAUR	GRETTIR	SHELOB
CYCLOPS	HYDRA	SHOGGOTH
DESTROYER	KING KONG	SLEIPNIR
FAFNER	KRAKEN	SMAUG
FASOLT	MACRA	TETRAPS
FENDAHL	MEDUSA	THE THING

HARVEST TIME

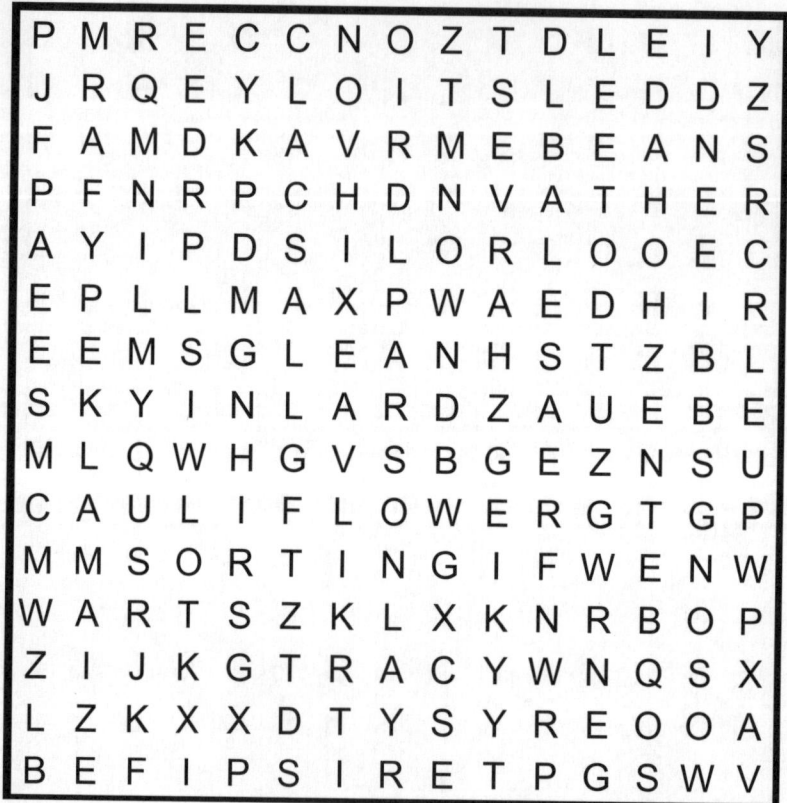

```
P M R E C C N O Z T D L E I Y
J R Q E Y L O I T S L E D D Z
F A M D K A V R M E B E A N S
P F N R P C H D N V A T H E R
A Y I P D S I L O R L O O E C
E P L L M A X P W A E D H I R
E E M S G L E A N H S T Z B L
S K Y I N L A R D Z A U E B E
M L Q W H G V S B G E Z N S U
C A U L I F L O W E R G T G P
M M S O R T I N G I F W E N W
W A R T S Z K L X K N R B O P
Z I J K G T R A C Y W N Q S X
L Z K X X D T Y S Y R E O O A
B E F I P S I R E T P G S W V
```

APPLES	GATHER	RYE
BALES	GLEAN	SILO
BEANS	HARVEST	SONGS
BREAD	HAY	SORTING
CART	JAM	STRAW
CAULIFLOWER	MAIZE	TOIL
CORN	PICKER	WINNOW
FARM	RIPE	YIELD

ROPEWORK

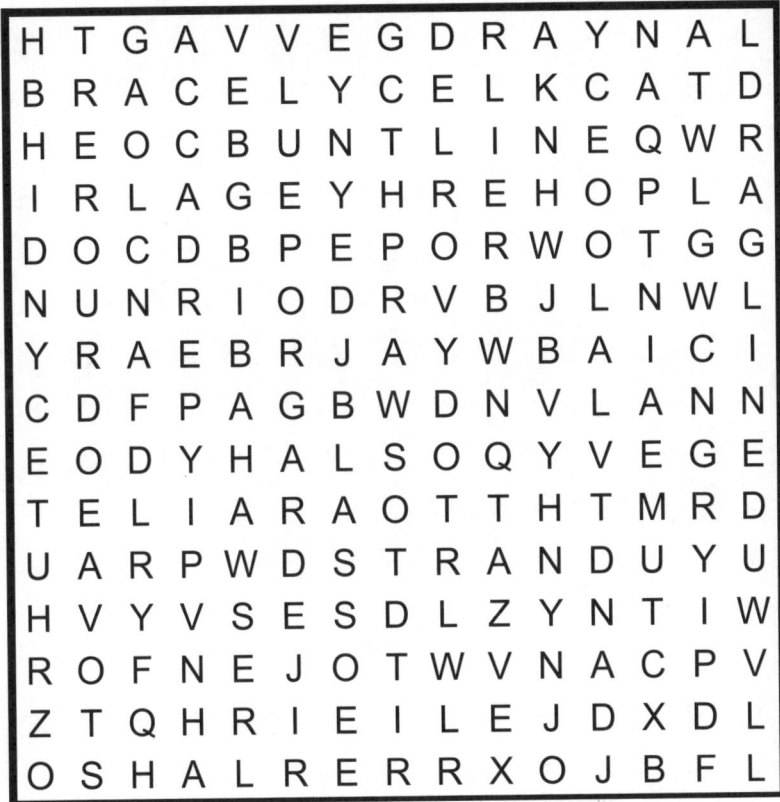

```
H T G A V V E G D R A Y N A L
B R A C E L Y C E L K C A T D
H E O C B U N T L I N E Q W R
I R L A G E Y H R E H O P L A
D O C D B P E P O R W O T G G
N U N R I O D R V B J L N W L
Y R A E B R J A Y W B A I C I
C D F P A G B W D N V L A N N
E O D Y H A L S O Q Y V E G E
T E L I A R A O T T H T M R D
U A R P W D S T R A N D U Y U
H V Y V S E S D L Z Y N T I W
R O F N E J O T W V N A C P V
Z T Q H R I E I L E J D X D L
O S H A L R E R R X O J B F L
```

BRACE	GUY	RUNNER
BRIDLE	HALTER	STAY
BUNTLINE	HALYARD	STRAND
CABLE	HAWSER	TACKLE
CLEW-LINE	HOBBLE	TOWROPE
CORD	LANYARD	VANG
DRAGLINE	LASSO	WARP
DRAGROPE	NOOSE	WIDDY

UP FOR AUCTION

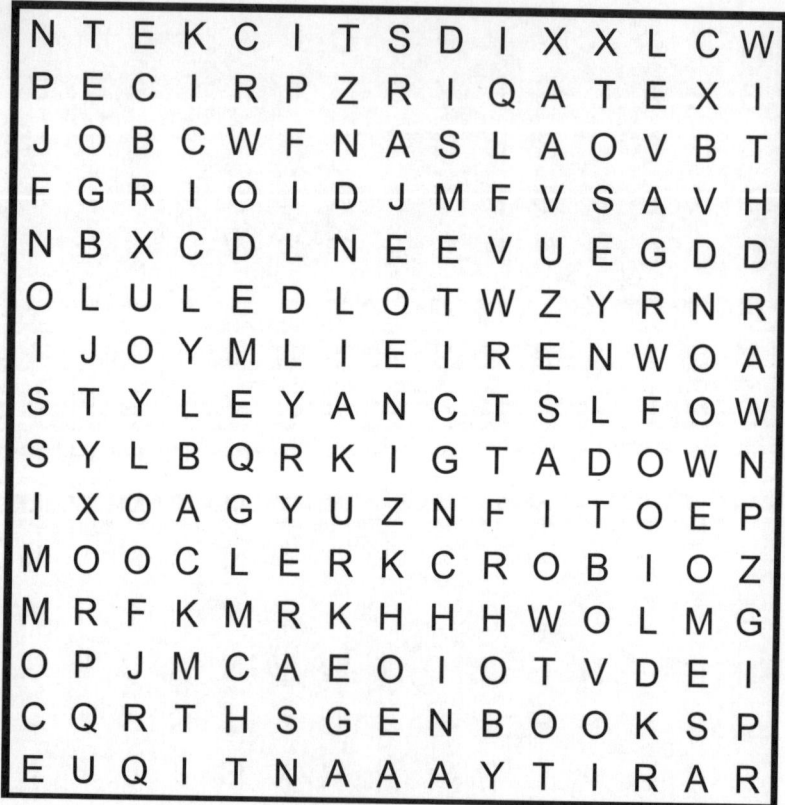

```
N T E K C I T S D I X X L C W
P E C I R P Z R I Q A T E X I
J O B C W F N A S L A O V B T
F G R I O I D J M F V S A V H
N B X C D L N E E V U E G D D
O L U L E D L O T W Z Y R N R
I J O Y M L I E I R E N W O A
S T Y L E Y A N C T S L F O W
S Y L B Q R K I G T A D O W N
I X O A G Y U Z N F I T O E P
M O O C L E R K C R O B I O Z
M R F K M R K H H H W O L M G
O P J M C A E O I O T V D E I
C Q R T H S G E N B O O K S P
E U Q I T N A A A Y T I R A R
```

ANTIQUE	COMMISSION	PORCELAIN
BIDDING	GAVEL	PRICE
BOOKS	GOODS	PROXY
BUYER	IMITATION	RARITY
CHEST	ITEMS	SILVER
CHINA	JARS	STYLE
CLERK	LOTS	TICKET
COLLECTIBLE	OWNER	WITHDRAWN

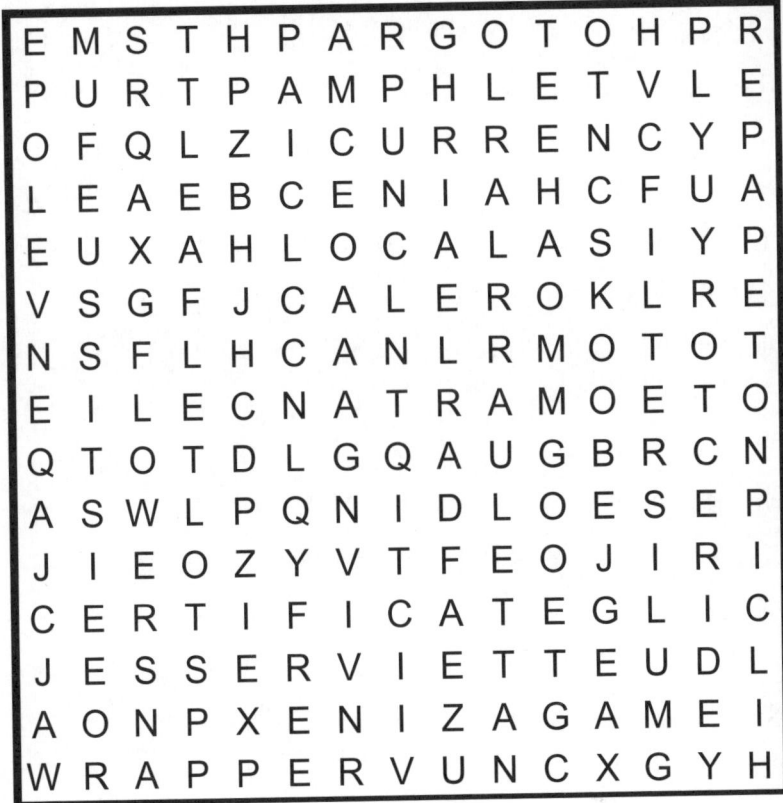

```
E M S T H P A R G O T O H P R
P U R T P A M P H L E T V L E
O F Q L Z I C U R R E N C Y P
L E A E B C E N I A H C F U A
E U X A H L O C A L A S I Y P
V S G F J C A L E R O K L R E
N S F L H C A N L R M O T O T
E I L E C N A T R A M O E T O
Q T O T D L G Q A U G B R C N
A S W L P Q N I D L O E S E P
J I E O Z Y V T F E O J I R I
C E R T I F I C A T E G L I C
J E S S E R V I E T T E U D L
A O N P X E N I Z A G A M E I
W R A P P E R V U N C X G Y H
```

AEROPLANE	CURRENCY	MAGAZINE
BAGS	DIRECTORY	NOTEPAPER
BOOKS	ENVELOPE	PAMPHLET
CATALOGUE	FILTERS	PHOTOGRAPH
CERTIFICATE	FLOWERS	RECEIPT
CHAIN	GIFT TAG	SERVIETTE
CHEQUE	JOURNAL	TISSUE
COLLAGE	LEAFLET	WRAPPER

FABRICS

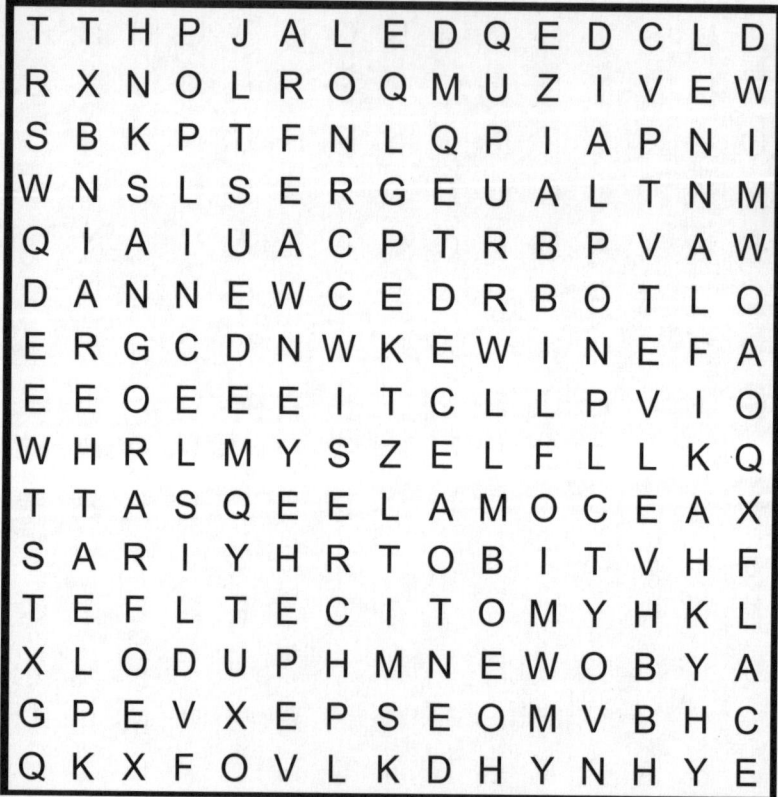

```
T T H P J A L E D Q E D C L D
R X N O L R O Q M U Z I V E W
S B K P T F N L Q P I A P N I
W N S L S E R G E U A L T N M
Q I A I U A C P T R B P V A W
D A N N E W C E D R B O T L O
E R G C D N W K E W I N E F A
E E O E E E I T C L L P V I O
W H R L M Y S Z E L F L L K Q
T T A S Q E E L A M O C E A X
S A R I Y H R T O B I T V H F
T E F L T E C I T O M Y H K L
X L O D U P H M N E W O B Y A
G P E V X E P S E O M V B H C
Q K X F O V L K D H Y N H Y E
```

ANGORA	LEATHER	SACKCLOTH
BAIZE	LISLE	SERGE
BOMBAZINE	MERINO	SUEDE
FELT	ORLON	TWEED
FLANNEL	PLAID	VELVET
FLEECE	POLYESTER	VOILE
KHAKI	POPLIN	WINCEYETTE
LACE	PVC	WOOL

SMALL THINGS

```
Y E L B M X Q Z D Y T I L I N
C N A J S I V W E T O I T E T
A B I P W P D K H T B S V N D
Y N E T H M A G A I Y M O R K
I C V F N I F L E B I N O Y C
K Q G R C R E A I T S P A T C
Z U N A T H H T E P L B D O E
U A H C I S S O V E X O Y T Q
W R N T S Y E M T T T X O W L
V K L I F L K I E T J J U B C
T I Q O U M V C T Y E S W G R
L N U N H B E Z U K P E M C U
O H A T M G O S N I F F N X M
E R N R E L D D I T D H T Y B
G L G E Y R O P M S S Z L D Q
```

ATOMIC	GRANULE	PETTY
BABY	IOTA	QUARK
BITTY	ITSY-BITSY	SHRIMP
CRUMB	JOT	SNIFF
DOT	MIDGET	SPECK
DROPLET	MINUTE	TEENY
ELFIN	MITE	TIDDLER
FRACTION	MOTE	TINY

A RAINY DAY

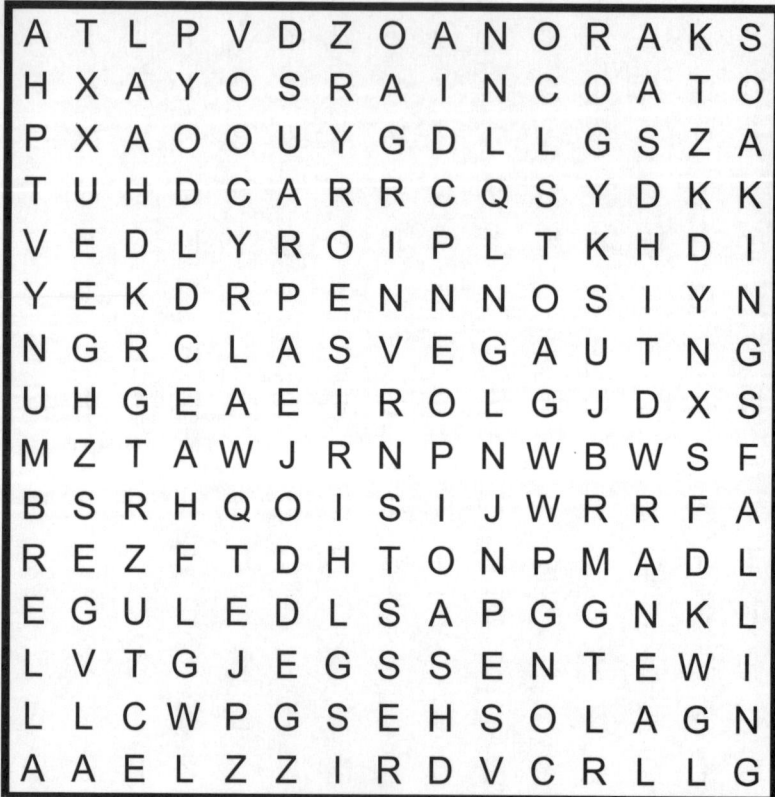

```
A T L P V D Z O A N O R A K S
H X A Y O S R A I N C O A T O
P X A O O U Y G D L L G S Z A
T U H D C A R R C Q S Y D K K
V E D L Y R O I P L T K H D I
Y E K D R P E N N N O S I Y N
N G R C L A S V E G A U T N G
U H G E A E I R O L G J D X S
M Z T A W J R N P N W B W S F
B S R H Q O I S I J W R R F A
R E Z F T D H T O N P M A D L
E G U L E D L S A P G G N K L
L V T G J E G S S E N T E W I
L L C W P G S E H S O L A G N
A A E L Z Z I R D V C R L L G
```

ANORAK	HOOD	RAINING
CLOUDS	JACKET	SHOWER
DAMP	OILSKINS	SOAKING
DELUGE	OVERCOAT	SODDEN
DRIZZLE	PELTING	SPLASH
DROPLETS	POURING	TORRENT
FALLING	PUDDLE	UMBRELLA
GALOSHES	RAINCOAT	WETNESS

FAREWELL

```
O P E X D A C H G J H N N A S
O S R Q T H D N J C T U E R O
E E U A E G I I T J O G H R I
L T T E Z T O A E Y Q O E I D
D T R J R G P O G U J D S V A
O I A A T S N N D I Q S R E B
O N P R E S I I B B U P E D O
T G E D A E G U V G Y E D E N
A O D P E N N G Q A M E E R V
G F W S X D O U O L E D I C O
Y F E Q K O L Y W O R L W I Y
R B S J C F O C A A D X F H A
J E V N Y F S Y I S V D U L G
E Y B E Y B L C Z A A E A X E
F D R I O V E R U A O G U Y J
```

ADIEU	CHEERIO	PARTING
ADIOS	CIAO	SAYONARA
ARRIVEDERCI	DEPARTURE	SEND-OFF
AUF WIEDERSEHEN	DESPATCH	SETTING OFF
AU REVOIR	GODSPEED	SO LONG
BE SEEING YOU	GOOD DAY	TA-TA
BON VOYAGE	GOODBYE	TOODLE-OO
BYE-BYE	LEAVING	WAVE

Solutions

1

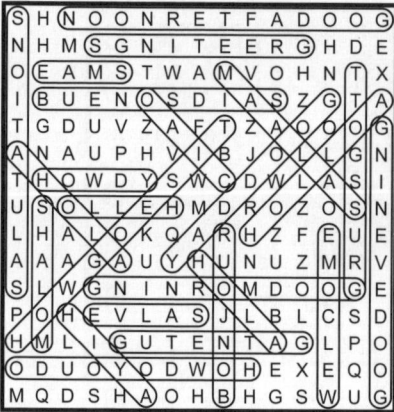

2

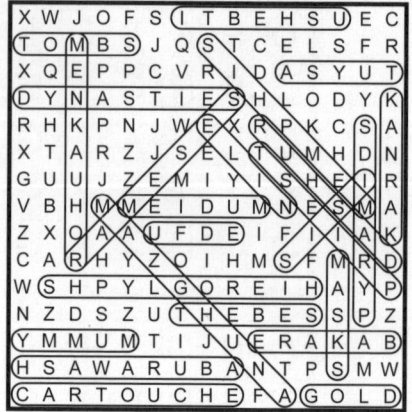

3

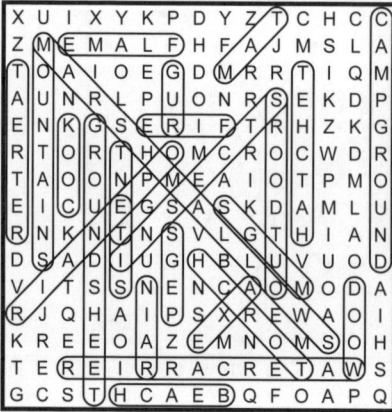

4

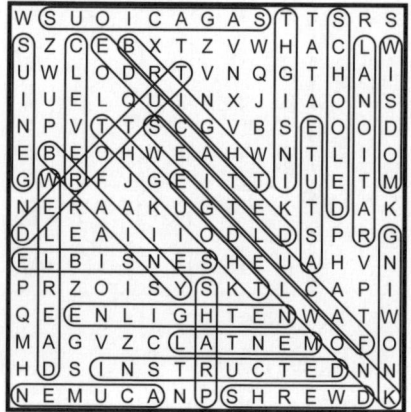

5

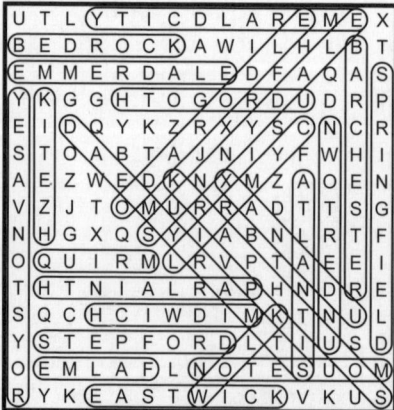

6

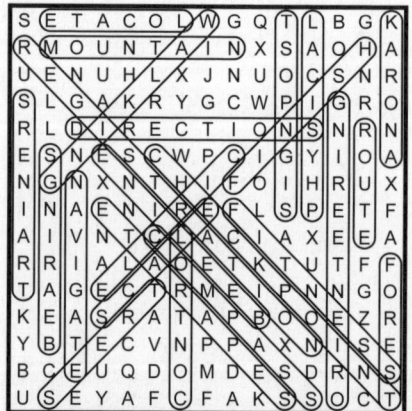

Solutions

7

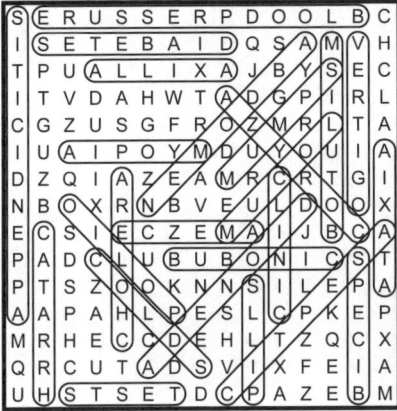

8

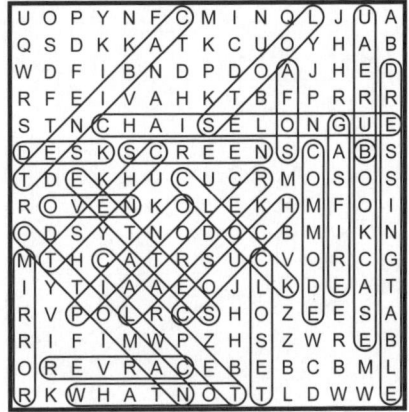

9

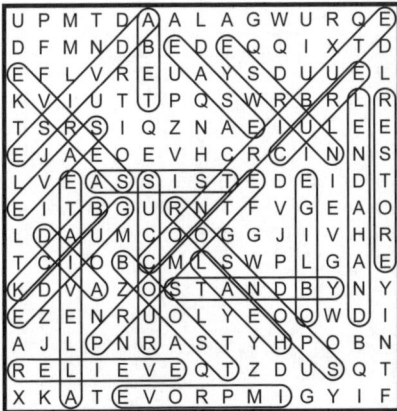

10

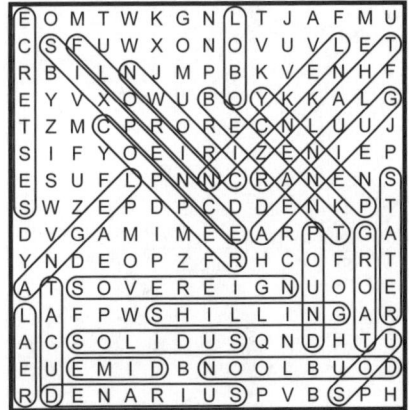

11

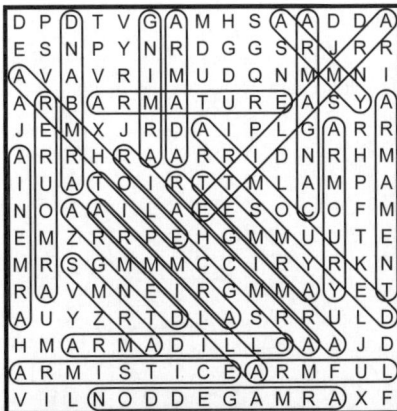

12

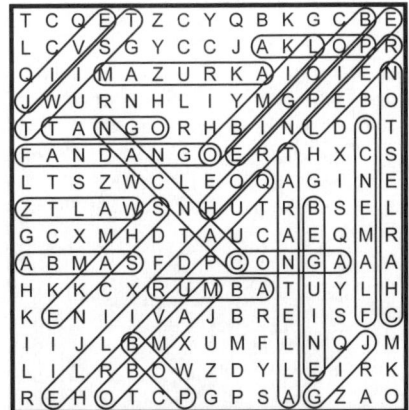

Solutions

13

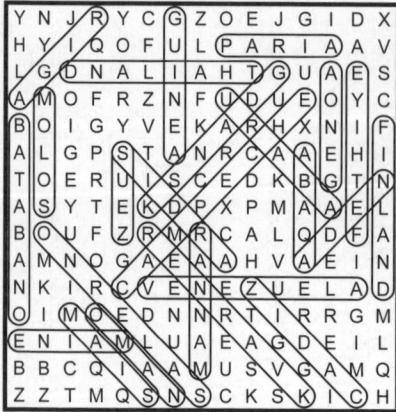

14

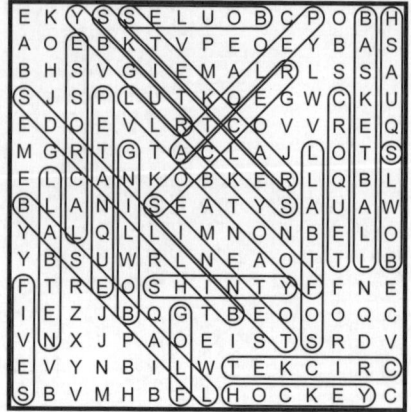

15

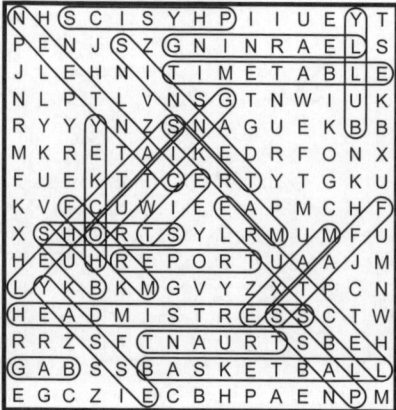

16

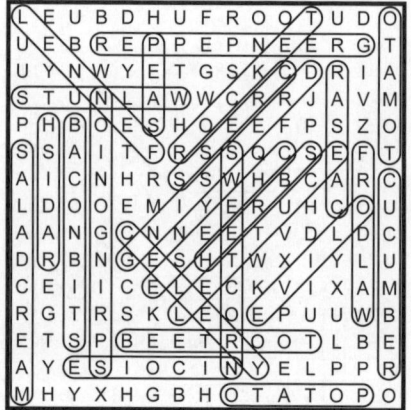

17

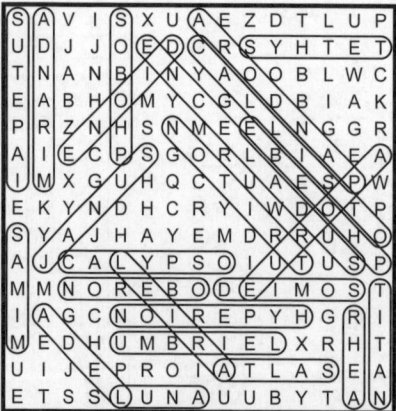

18

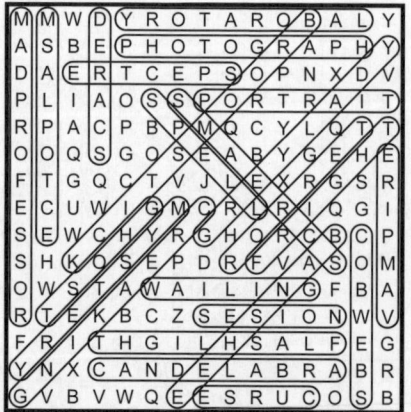

Solutions

19

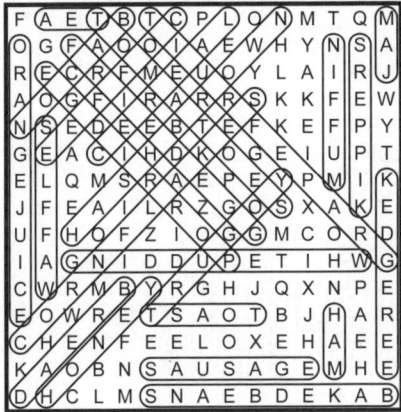

20

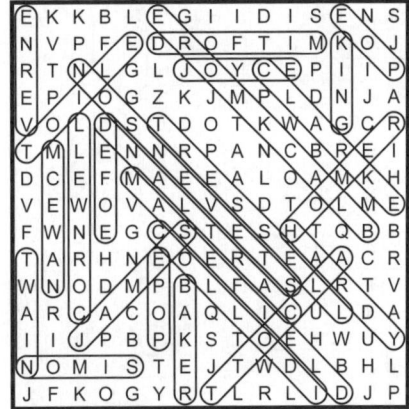

21

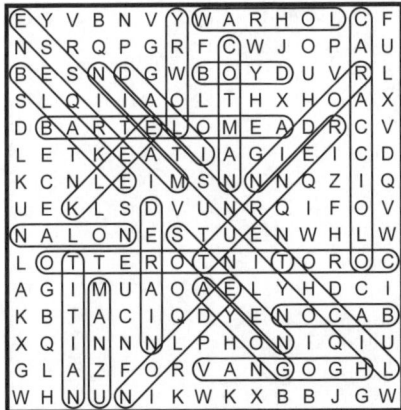

22

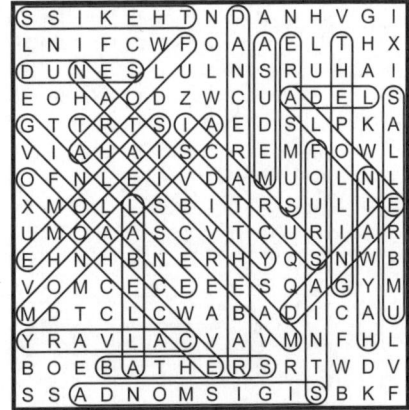

23

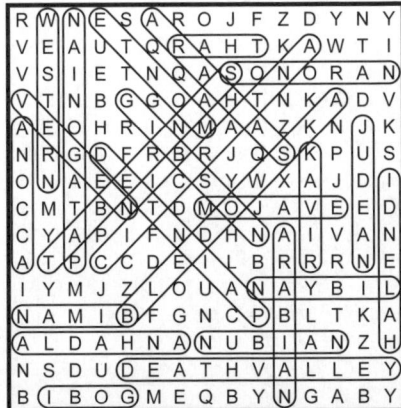

24

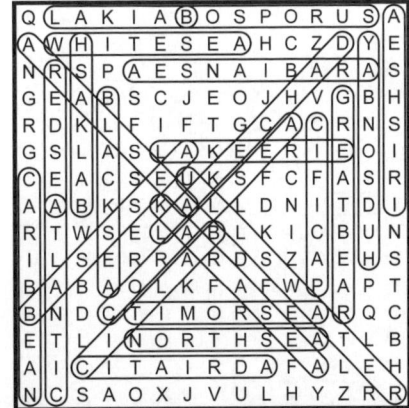

Solutions

25

```
O O D N Q Q S B Z U S J T S T
E E R M C A O T X W K H A K V
T I U S M I W S V O I S O C M
A R L Y A S H M A K R A C O I T
S A N Z U B U L F S T R R S I T
T R Y S T P G P Y E T I E R T
A B R Z A Z L A E F N O V D E
O Y I K O B S R R A P R O N N
C P X K C S W K X G U U E B S
T S E V I A N A U T B G Q L S
S T G G T N D A I L Z B O P
I R U T T J I G E I L D B U A
A R O D E F H T G J K C C S N T
W G H Y P T S E O H S Y A E T
T G A J S X E R S M P U M P S
```

26

```
S P L E C T R U M O O L E L P
C U N B D O G O X T O D V A O
A B I J V Y P K A S O A D D R
L A C T O M F B A M F O V E S
E S R R E U R I S T U V P T
S S T T O R A N E T I A W T A
R C P A N T A R E T U Q T F C
P L E S V N C D T Q B E Z O C
R E T P T E N H X E N O M S
A F S K Z O S I E S R I A W T
C E O T T P C H I T N T E R O
T Y W E L R Y O V I B V O Y D
I S T Y A A N D M J E B U N B
C G R O W H C N H R B Y X Q E
E E R U T S O P B R I D G E N
```

27

```
E I S S E J A B P H O R S E S
E M T L L I M D N I W U R B Q
D S R J O F D U R T N E S L U
E G A J X L L O Q B P K L W E
H O X X O E D F O M P A E B A
S D R E I N V M Y W B L E Y L
W O V R P L E H A W X N O P E
O X U N L W W S O J J O I V R
C M Z A G R O N X A O G F D E
S R X P M E S N M U S R X S V
T B N O T G N I K L I P R M O
L O Z L R L N B L U E B E L L
E X U E W L A N I M A L S P C
T E A O K C I R E D E R F R M
F R S N A M U H E I L L O M M
```

28

```
K L F F D C U K Y X H T S T O
F A J G L L A F N E P L Y P J
Y I O O O J L Y O E R Y B N S
E R N S F I F E O R H K M T M
P V D H I L L C H C T N Y P G
D D A P T Y X G F S G R F N T
V O A C S T X R I C C L E J T
R M V K E R A R O S L G E S E
P Z T E N H W O M A S G A M S
W A F I C V P O T S D N O O H
E T D T F O Q S E E Y E L O K
P V U D P N T T L A D R L Q Z
Y H I G O Z X E X A A T D E N
J P Z H Y C G S E E C Y E R D
Y S T U D F K E N N E L E Q Q
```

29

```
G N A R I S U E L A G Q D W O
Y E N L P Z V A R R I V R D H
H L C D I A N E E D V N O T M
F I I Y L E T L C N I U E J Z
I U Y M M S L Z I A I N T X O
K Y L I E E K L L S Y Q S A E
T E E H I R I Y A W R D N T N
E E I R A M R N G K Y E V X I
R U B D M E Y E C W Z A H J L
A A X W M Y E U N F D I F N E
G J W Y E E S A C I L W O W U
R U M L G T D N N D X O Z C Q
A T M G Y T N X A E Q A R R C
M L V Q L C I D Y P H N M A A
Q M A D N I L B X X M J I Q J
```

30

```
I E G N B Y F Y B C E F H O W
D I J P B T M E T D D L O H D
B L X H J R L O O L E N V N L
A S B S E A Q E M S Q V Q I Q
R E B V C N Q F Q D W L B D S
T L I M A O B O R N Y U R F I
H L E V A K T C W O V C U G N
O I B A R R Y T W M A A N L H
L Z B O H E M D N Y T A O P N
O N I L O C L A F A S S N I A
M E X D E A I J D R U I V J H
E D G D R R O M A U G E R H C
W C R E D O L O R E K T I K A
U I G A T H U D L E U E U F S
C Z W Q D L A B I H C R A C T
```

184

Solutions

31

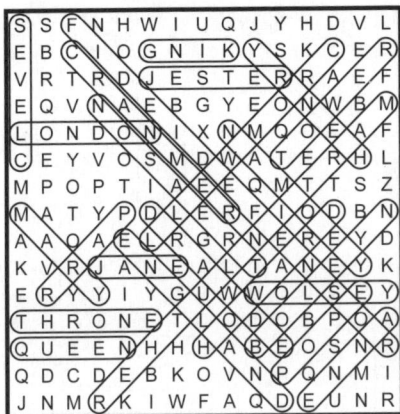

32

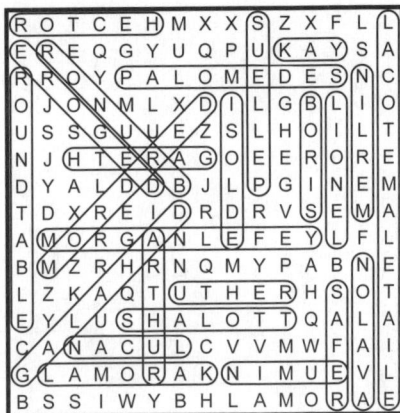

33

34

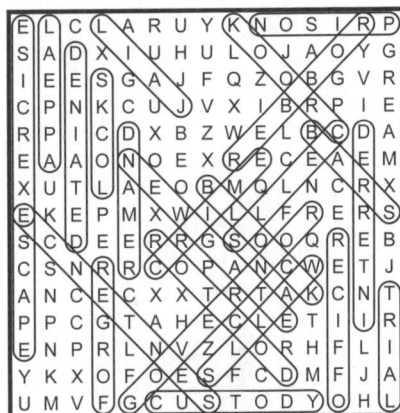

35

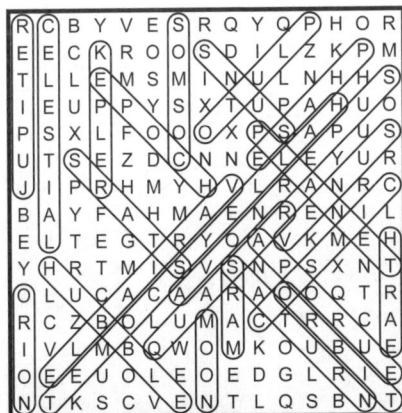

36

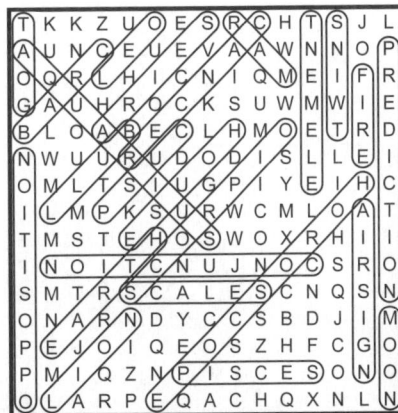

Solutions

37

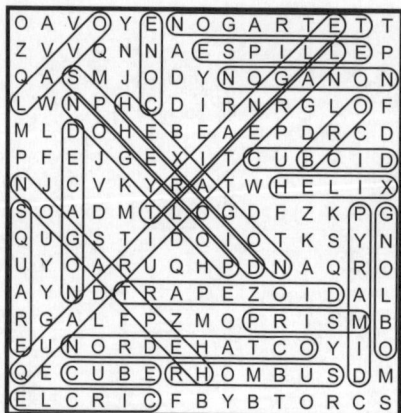

38

39

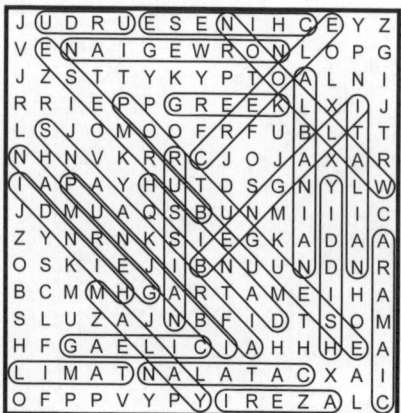

40

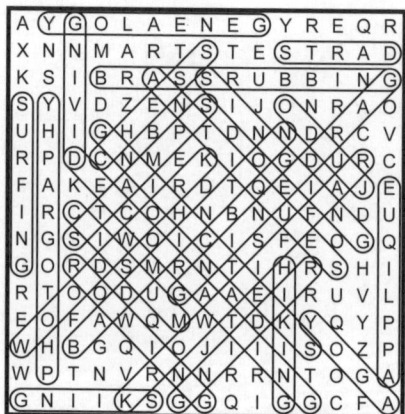

41

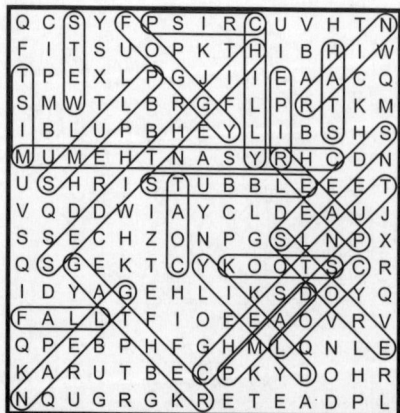

42

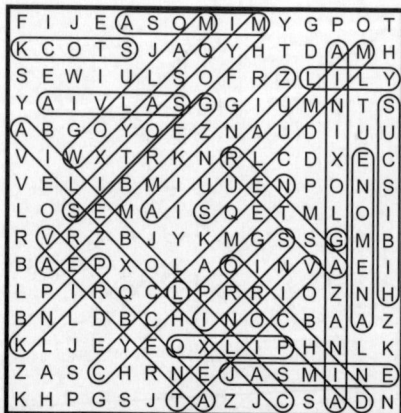

Solutions

43

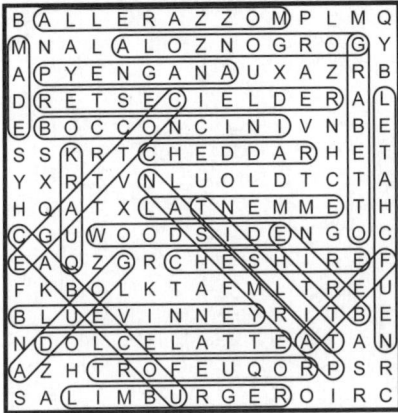

44

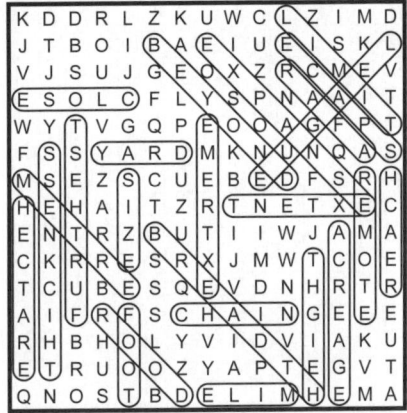

45

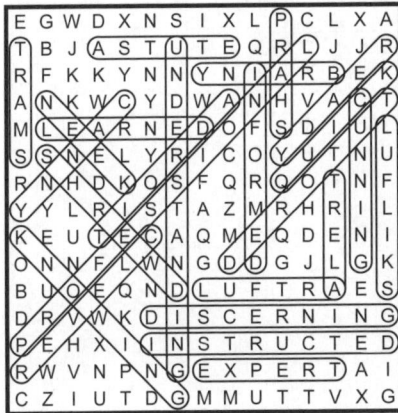

46

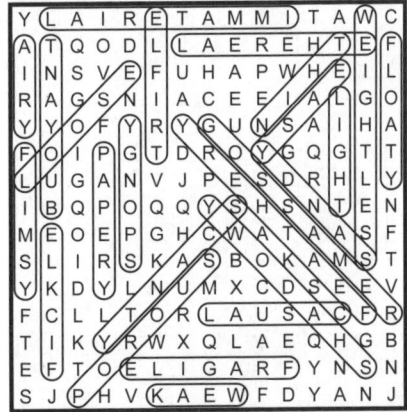

47

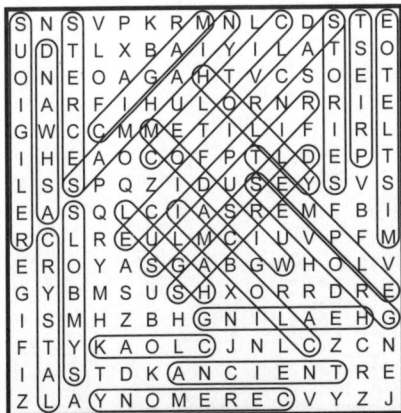

48

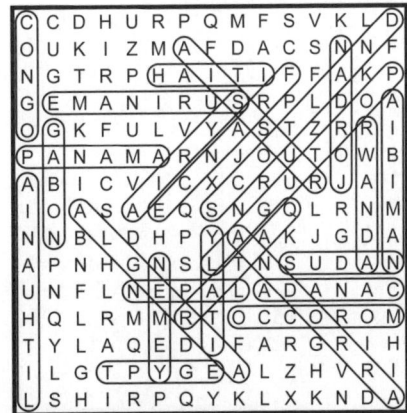

Solutions

49

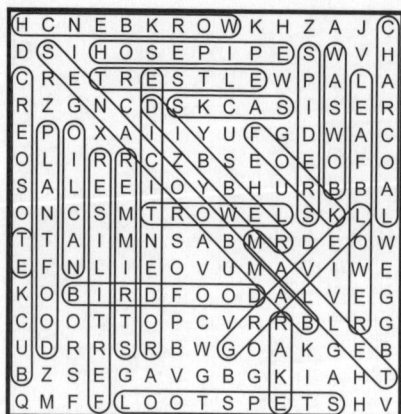

50

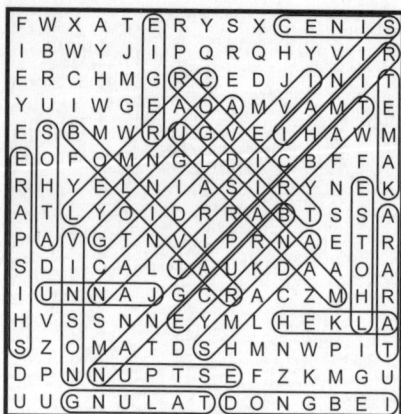

51

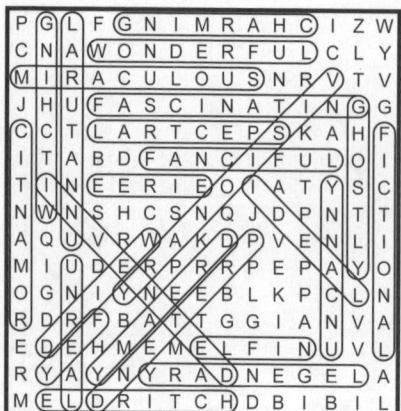

52

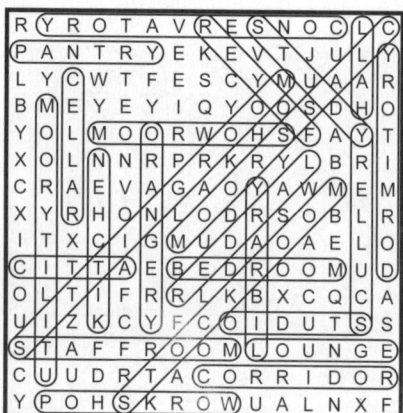

53

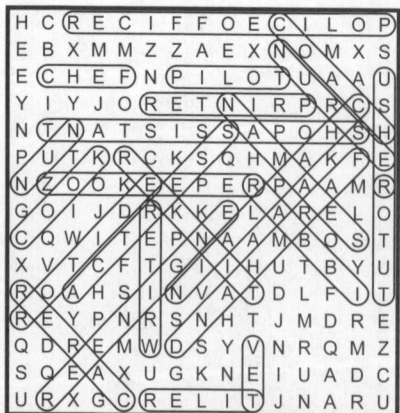

54

Solutions

55

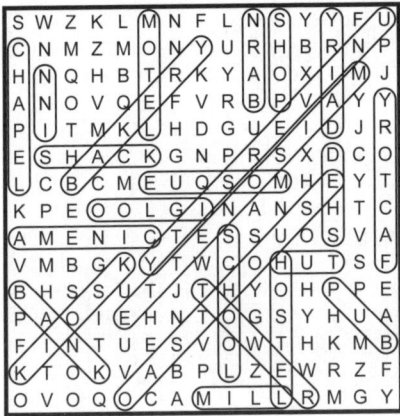

56

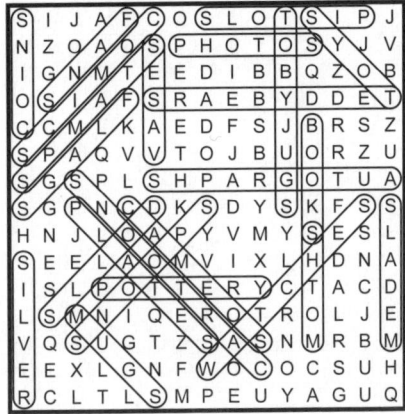

57

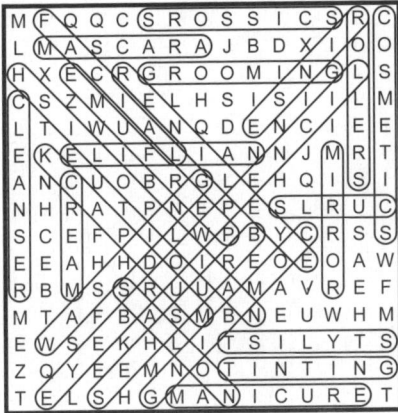

58

59

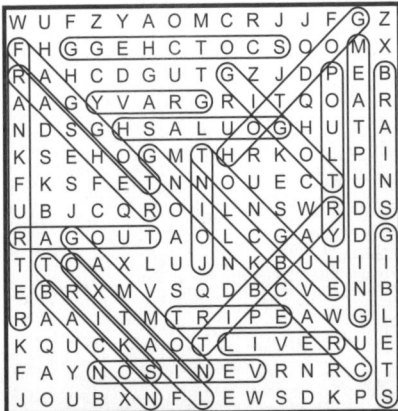

60

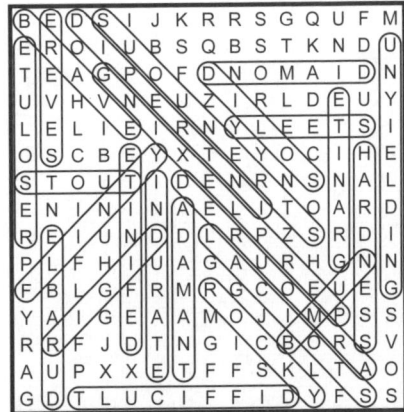

Solutions

61

62

63

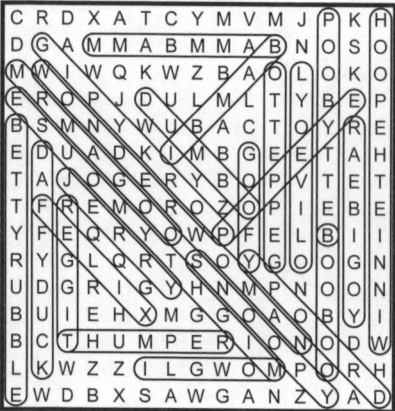

64

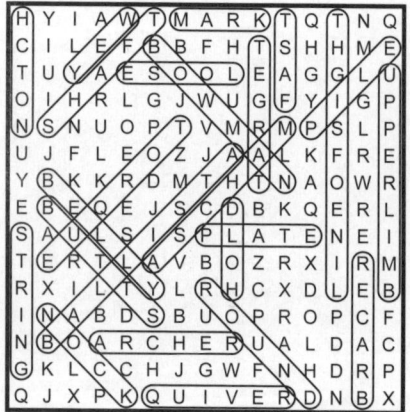

65

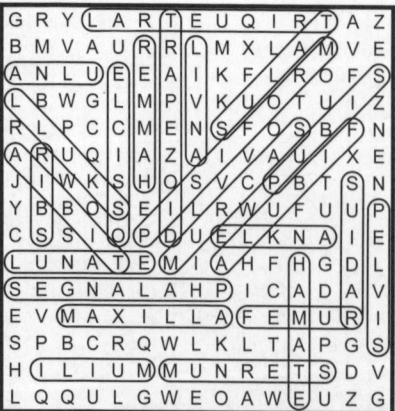

66

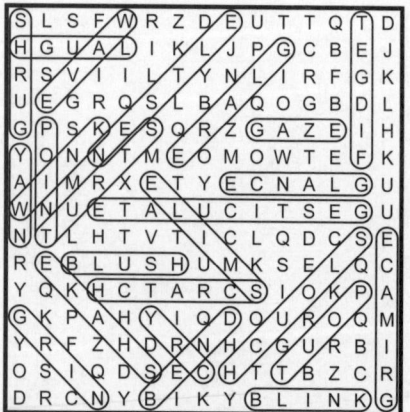

Solutions

67

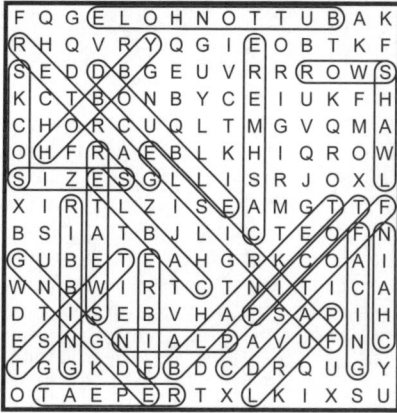

68

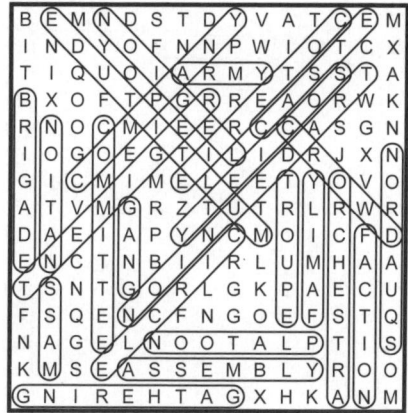

69

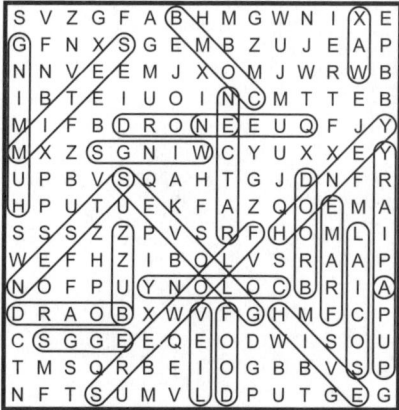

70

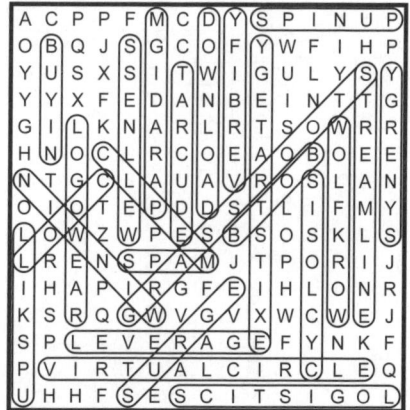

71

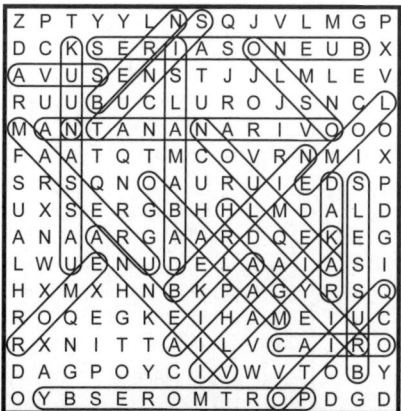

72

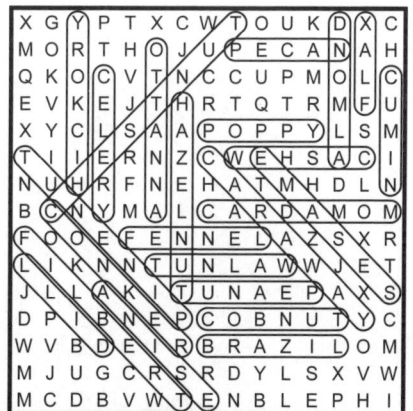

Solutions

73

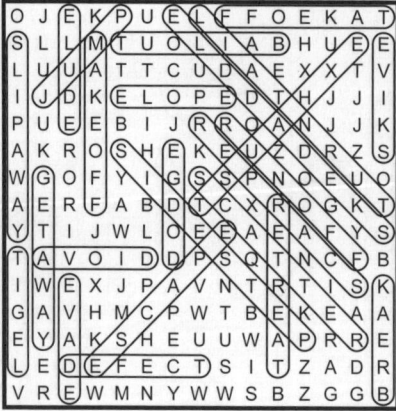

74

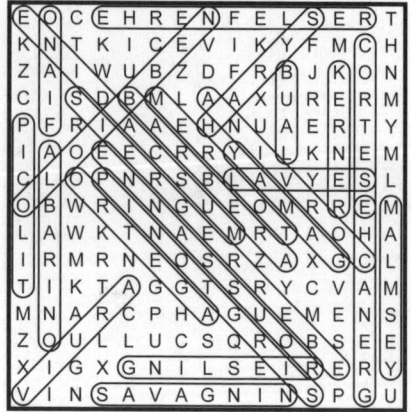

75

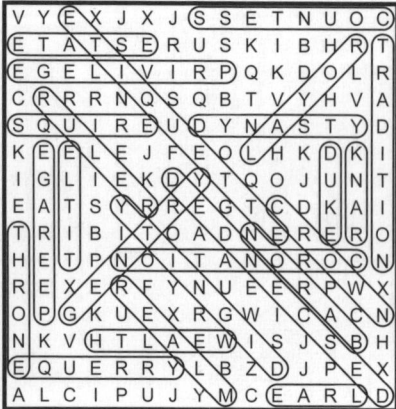

76

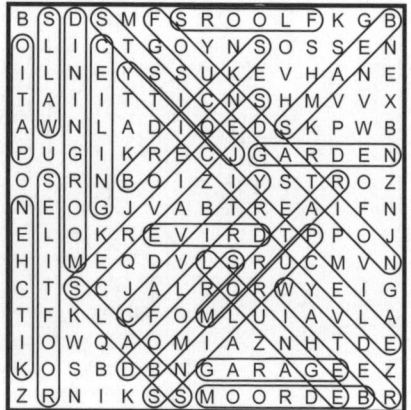

77

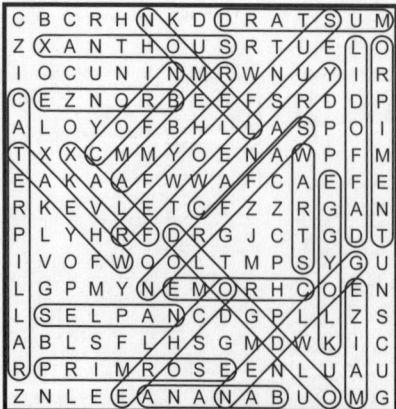

78

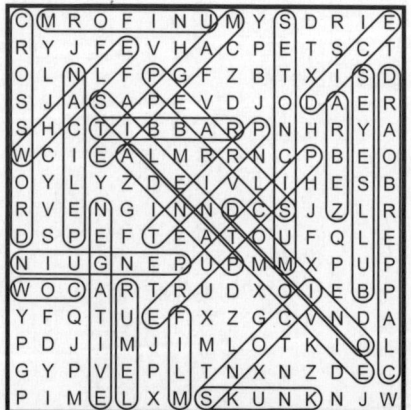

Solutions

79

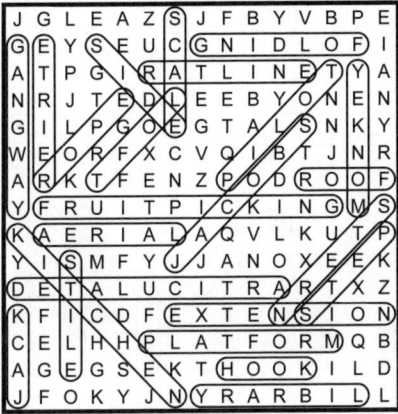

80

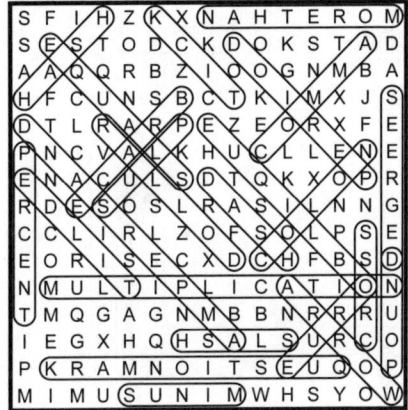

81

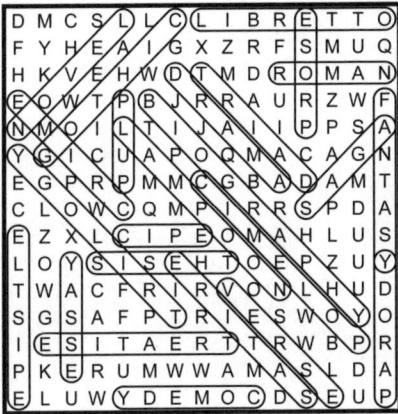

82

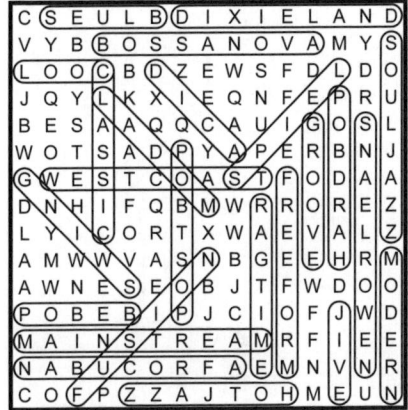

83

84

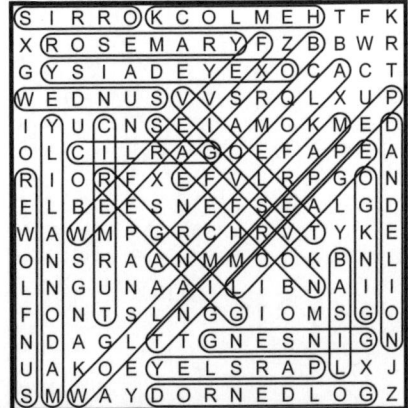

Solutions

85

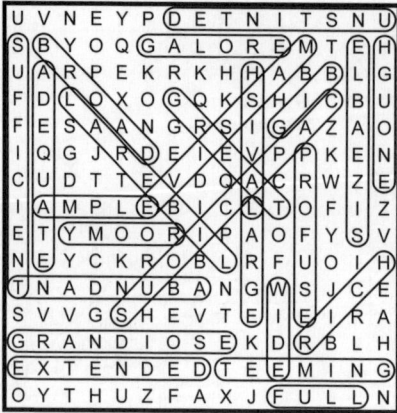

86

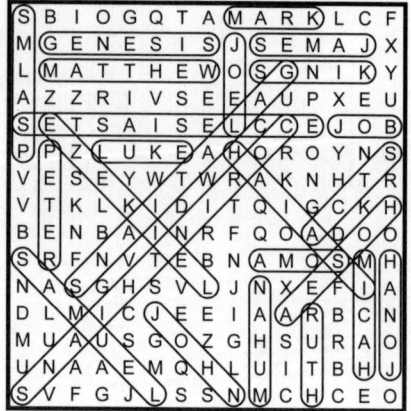

87

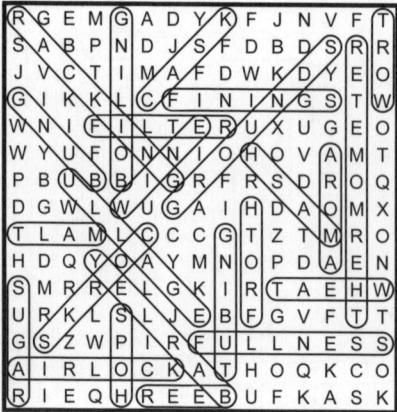

88

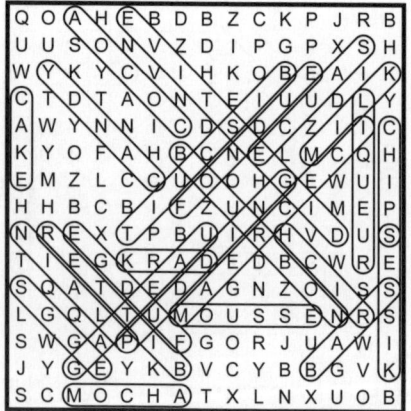

89

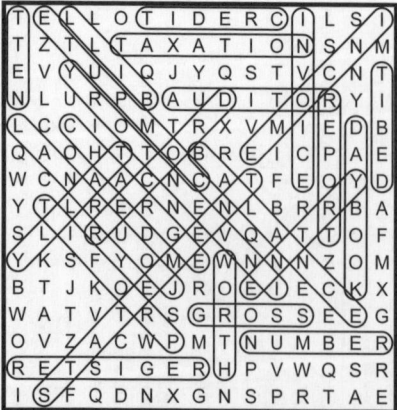

90

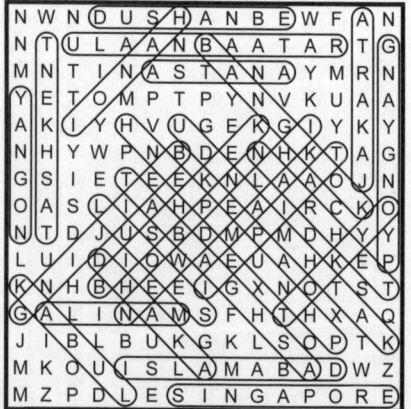

Solutions

91

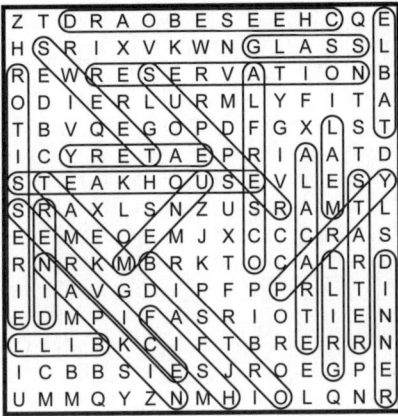

92

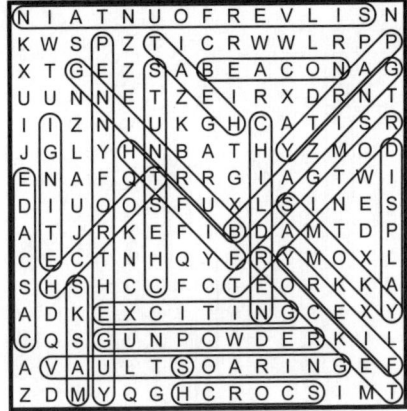

93

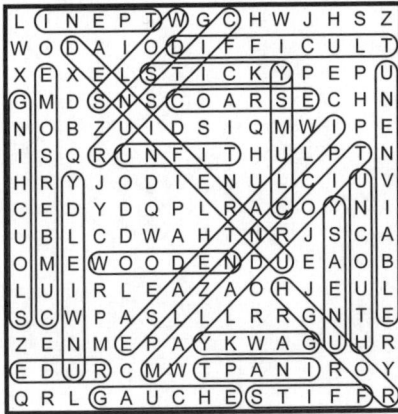

94

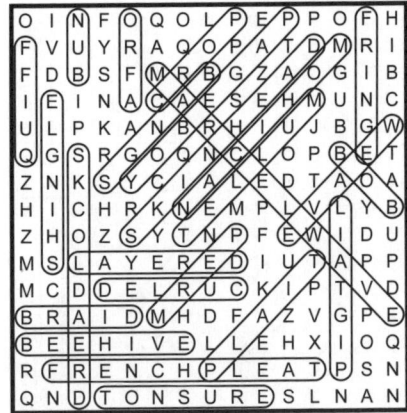

95

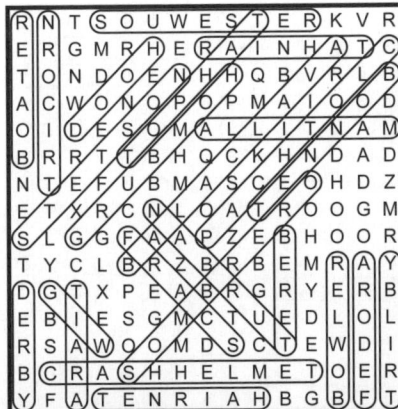

96

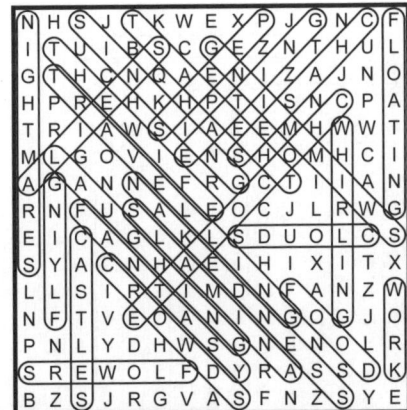

Solutions

97

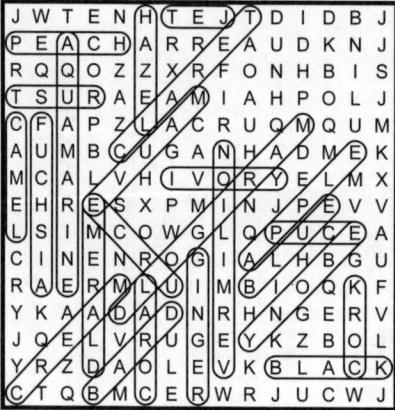

98

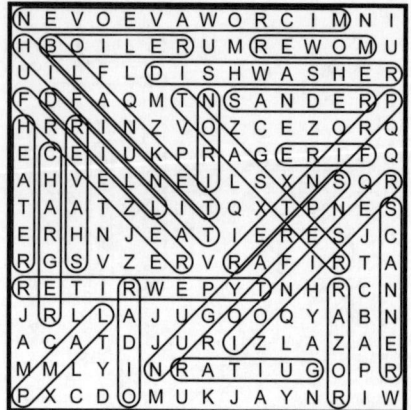

99

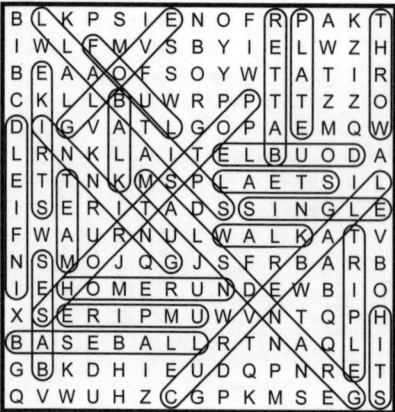

100

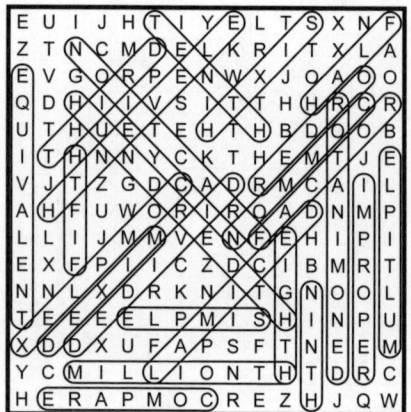

101

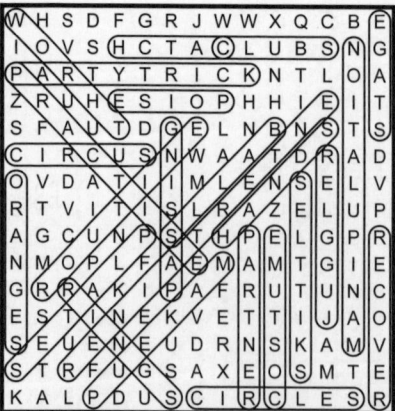

102

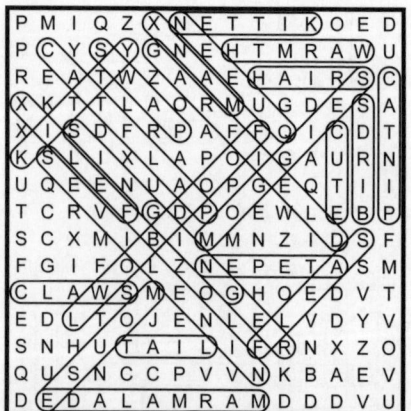

Solutions

103

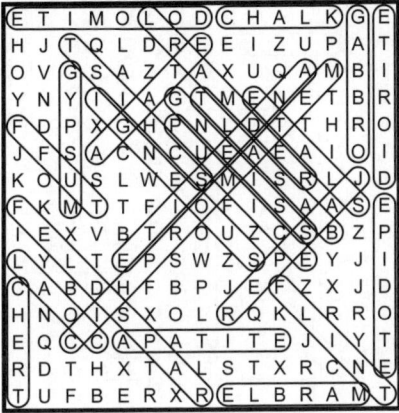

104

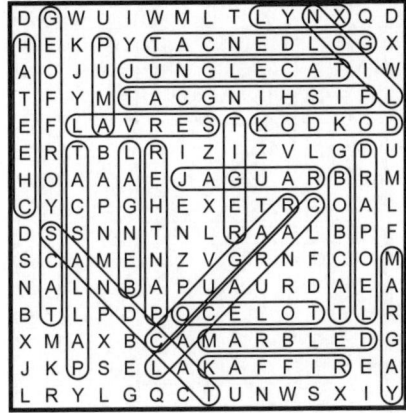

105

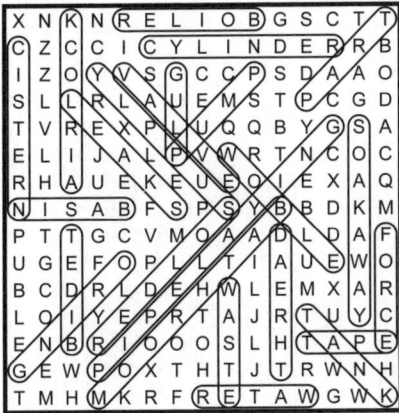

106

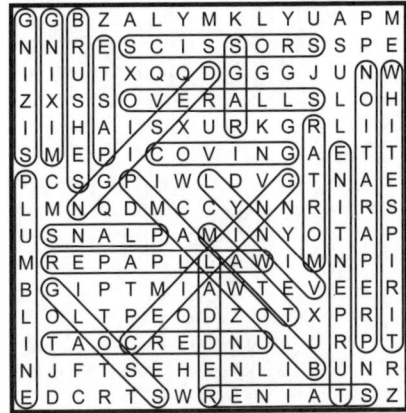

107

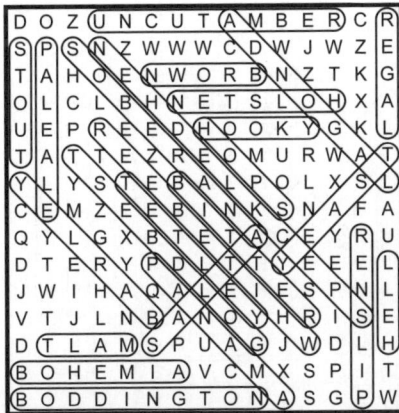

108

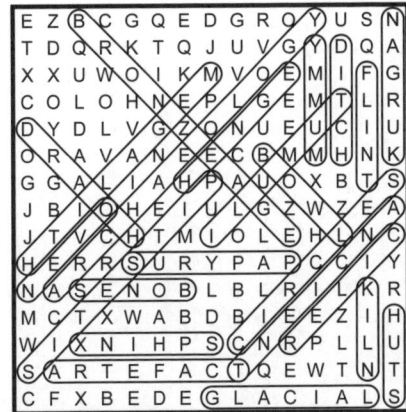

Solutions

109

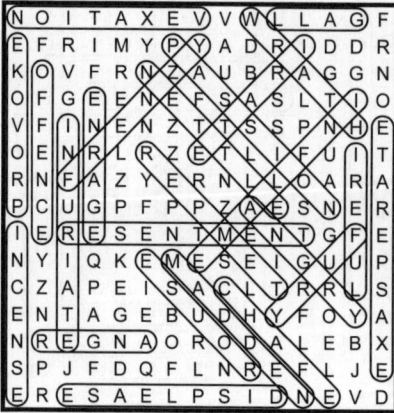

110

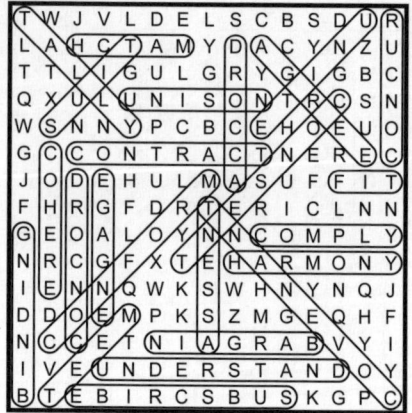

111

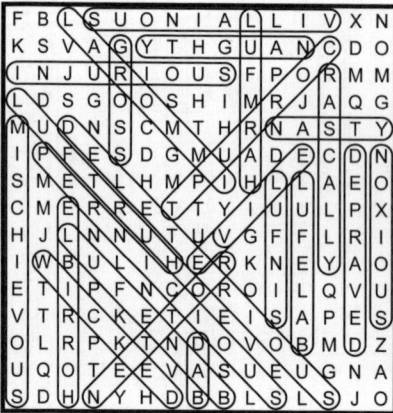

112

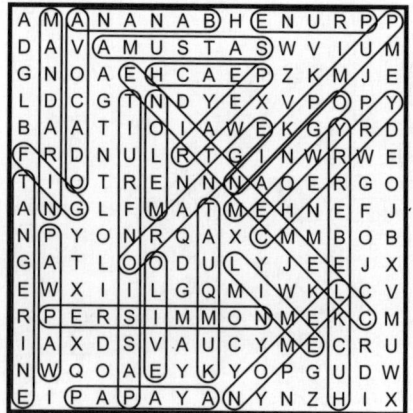

113

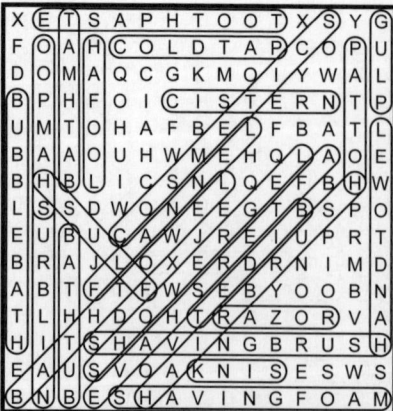

114

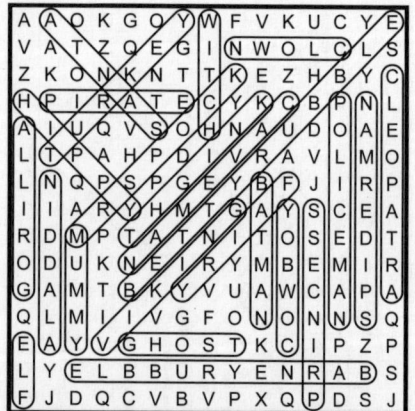

Solutions

115

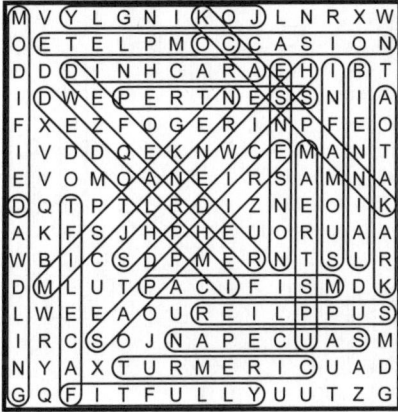

116

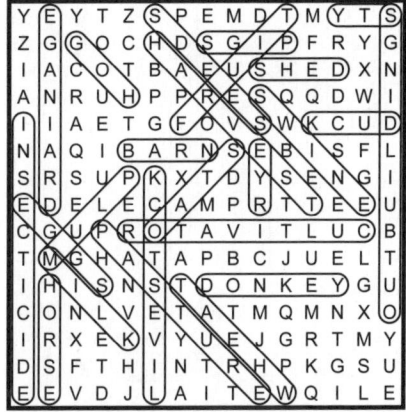

117

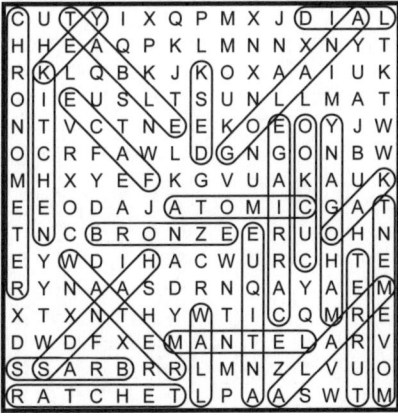

118

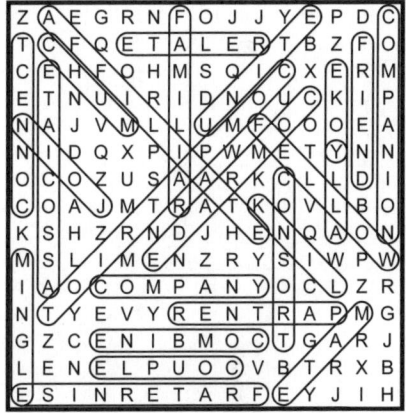

119

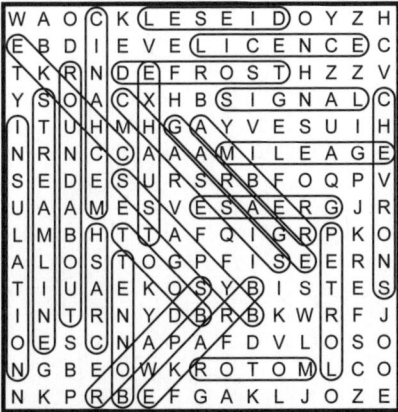

120

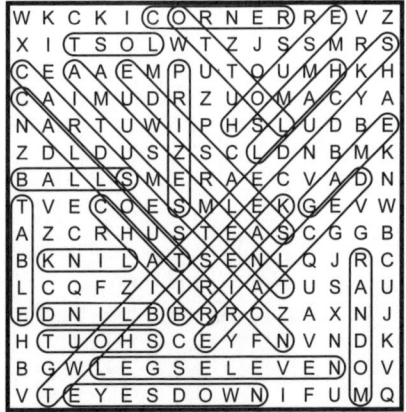

Solutions

121

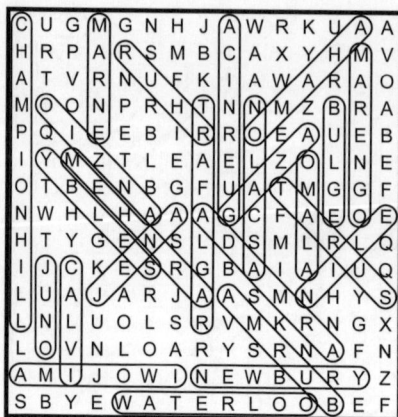

122

123

124

125

126

Solutions

127

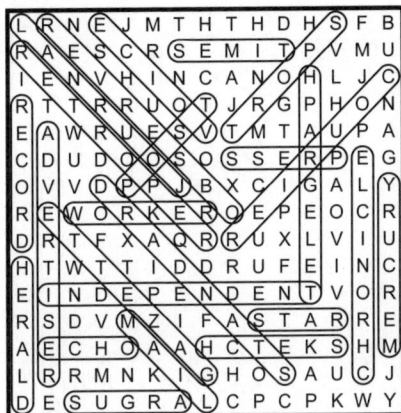

128

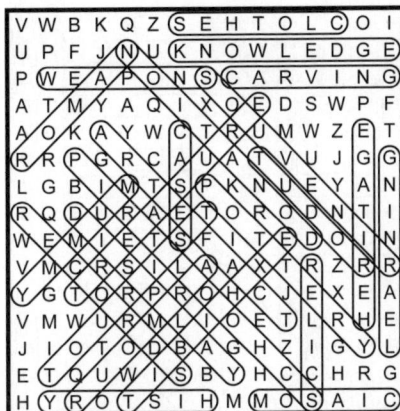

129

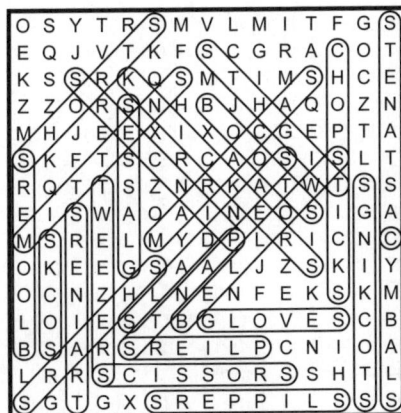

130

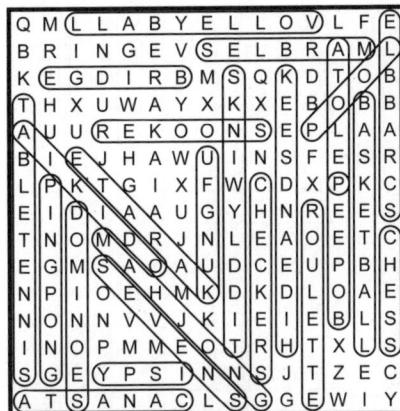

131

132

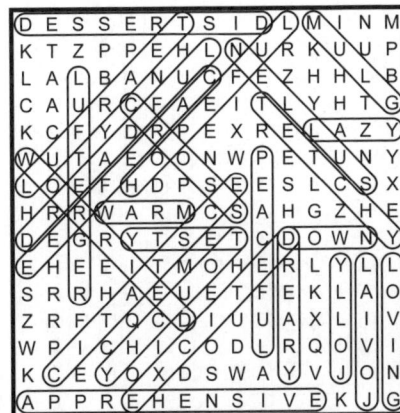

Solutions

133

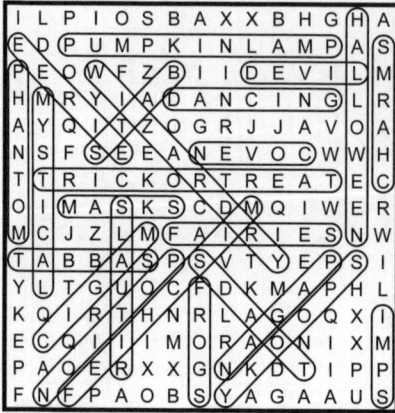

134

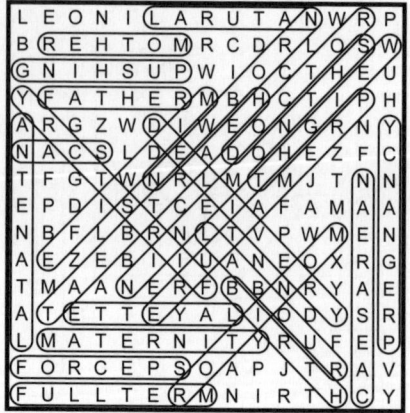

135

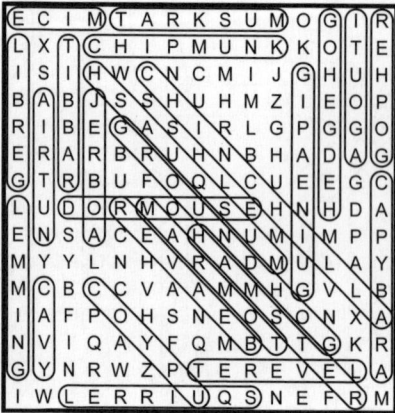

136

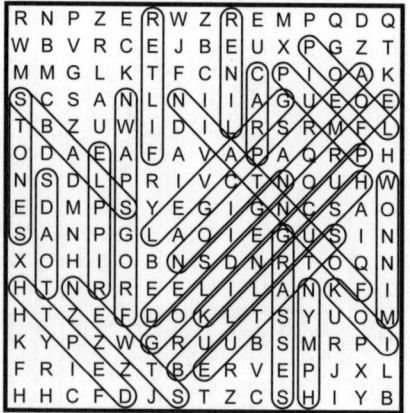

137

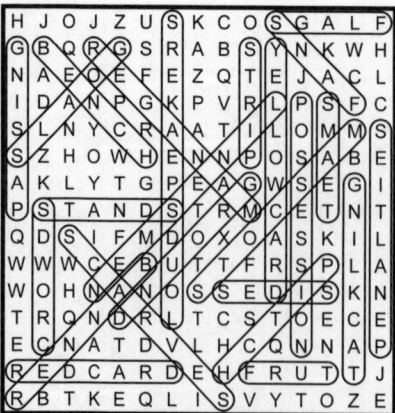

138

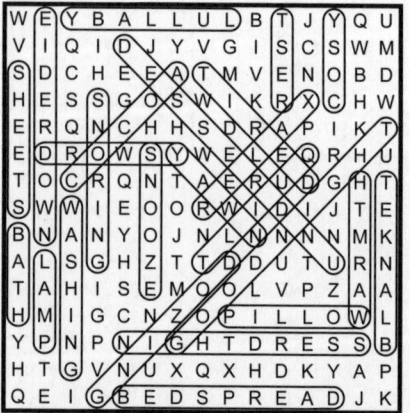

Solutions

139

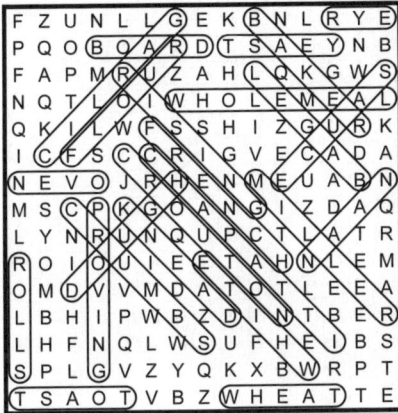

140

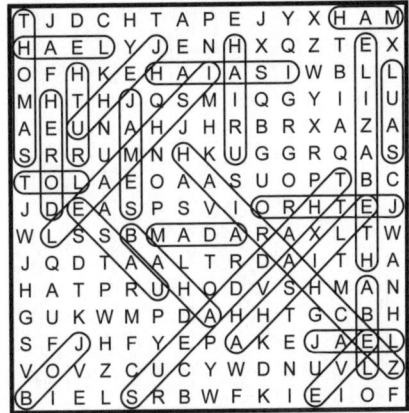

141

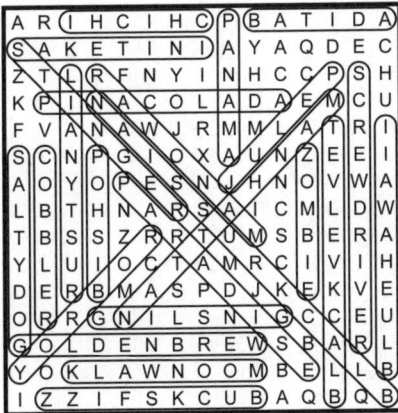

142

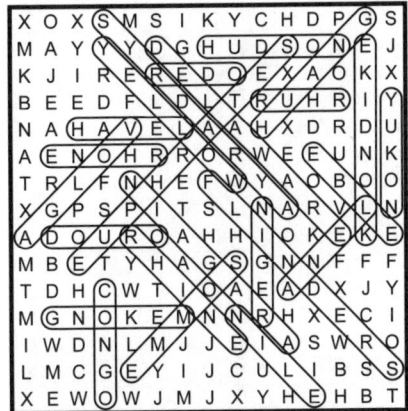

143

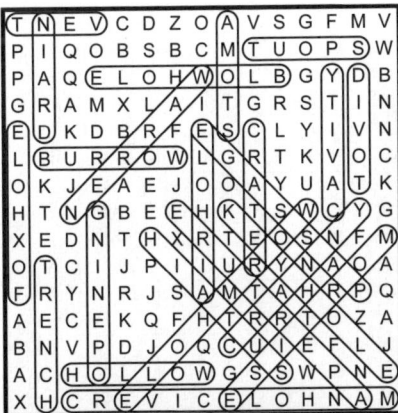

144

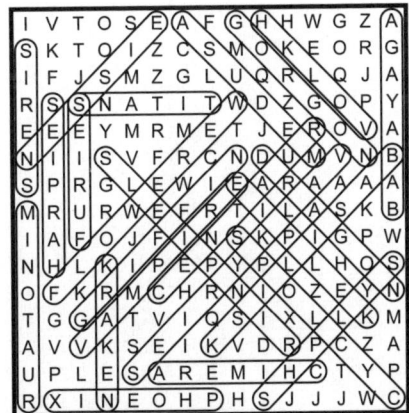

Solutions

145

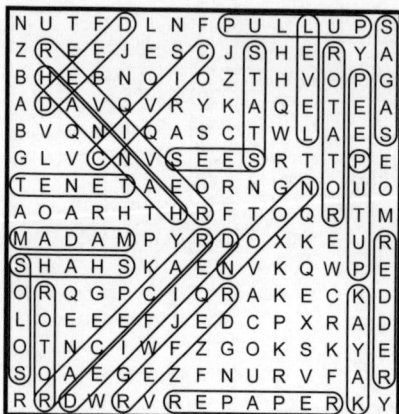

146

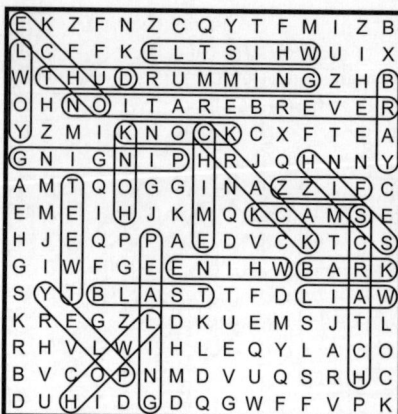

147

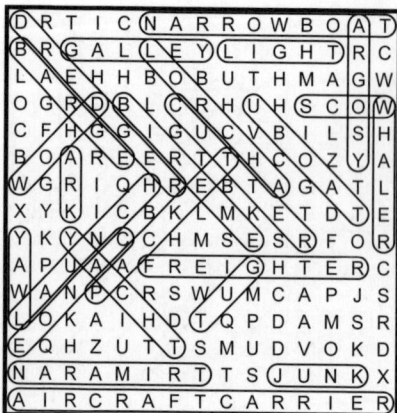

148

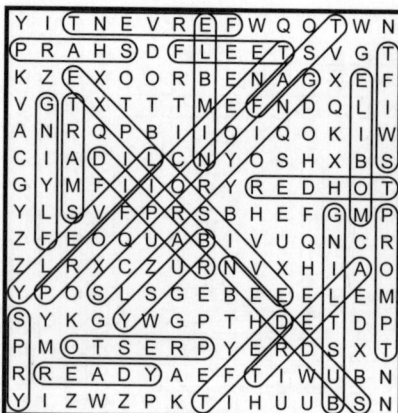

149

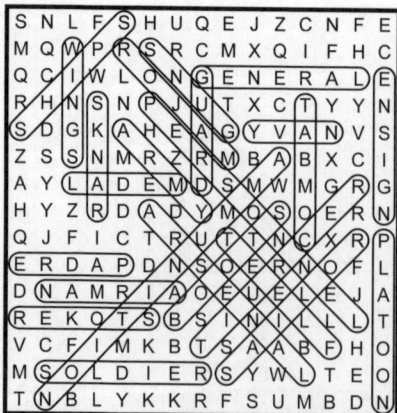

150

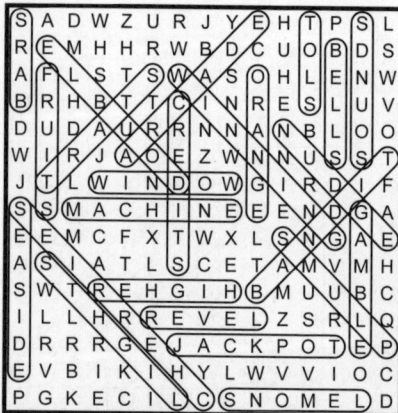

Solutions

151

L	G	J	Z	E	C	G	T	D	I	B	C	I	A	J
B	N	Y	A	R	Q	O	O	A	Z	Y	Y	K	I	T
A	I	M	S	V	R	R	M	S	S	E	C	E	R	R
H	T	R	E	Y	K	E	H	U	S	T	I	N	G	S
E	T	O	I	C	N	E	O	E	J	V	N	L	X	B
A	I	L	A	D	M	I	T	T	I	V	L	W	W	H
L	S	L	M	K	Y	G	F	A	T	D	B	Y	C	A
T	B	E	M	P	L	T	D	B	D	V	G	O	H	N
H	N	C	U	A	K	U	R	E	T	I	M	P	F	S
T	P	N	W	S	C	V	A	D	Q	M	D	J	L	A
U	J	A	N	H	E	E	W	Y	I	C	S	N	I	R
V	H	H	R	O	I	A	W	T	B	E	O	W	A	D
E	M	C	J	T	T	P	T	H	T	B	X	U	V	C
S	D	R	O	L	Y	E	T	O	I	X	O	J	N	Z
S	L	L	I	B	E	J	V	E	C	G	F	L	M	T

152

W	V	N	T	B	J	A	C	U	T	A	B	O	V	E
R	O	M	C	R	E	V	I	S	E	R	O	X	W	R
C	E	J	H	E	A	L	E	D	G	N	P	B	S	E
I	U	T	O	U	C	H	U	P	T	V	I	U	Z	T
R	S	R	E	N	I	F	E	H	R	G	P	C	L	A
K	T	Y	E	E	T	R	E	N	G	E	P	R	E	E
R	R	F	G	D	W	M	E	E	R	O	V	M	J	R
E	O	I	E	Y	E	S	R	I	L	I	H	A	U	G
T	N	T	D	N	N	D	O	I	H	H	C	H	M	W
R	G	T	D	Z	H	R	S	M	Q	T	P	H	N	P
A	E	E	W	W	A	H	A	V	R	R	R	P	L	T
M	R	R	E	B	N	W	P	W	H	O	U	O	X	C
S	S	L	Y	Z	C	H	I	J	I	R	F	B	W	X
R	L	K	Y	Y	E	D	H	L	O	N	G	E	R	F
U	Z	R	E	I	H	T	L	A	E	H	Q	T	R	Y

153

I	V	F	V	Z	B	I	S	W	M	Z	N	U	O	F
O	C	A	N	O	M	U	W	Z	V	W	J	C	X	K
S	G	S	I	A	R	H	Y	A	T	L	A	M	D	J
W	R	B	Z	A	Q	A	U	K	O	A	I	L	R	B
I	U	G	L	X	W	M	S	N	B	Q	T	Q	O	G
T	O	E	G	R	E	E	C	E	G	B	A	P	M	Q
Z	B	O	O	C	R	T	N	F	A	A	O	R	A	P
E	M	N	F	B	R	I	J	R	R	K	R	K	N	A
R	E	G	I	R	A	M	R	A	Y	A	C	Y	I	I
L	X	A	A	R	O	O	I	L	S	A	N	N	A	R
A	U	Z	K	L	D	N	A	L	O	P	A	C	Y	A
N	L	U	D	N	O	T	E	L	H	B	A	H	E	G
D	W	O	A	T	I	D	N	A	L	E	C	I	X	L
E	V	M	S	P	I	R	B	A	O	U	X	C	N	U
A	N	E	D	E	W	S	A	A	I	S	S	U	R	B

154

X	H	F	J	Y	B	D	R	M	R	K	C	V	X	S
J	X	F	W	V	T	H	A	A	P	P	N	X	O	U
J	P	R	I	N	T	S	E	P	L	M	L	L	F	R
R	A	E	W	B	T	G	A	H	W	G	D	A	Q	E
H	O	L	D	E	R	B	X	U	X	I	N	O	T	A
H	S	W	P	J	N	A	A	X	E	E	Q	M	D	E
G	T	E	V	S	W	P	K	R	G	P	E	F	L	O
D	Q	A	C	E	T	O	Q	E	N	G	E	W	A	Y
M	X	S	B	A	R	A	R	T	I	Q	G	M	S	T
D	O	C	T	D	R	E	L	K	G	S	D	R	J	R
E	R	O	S	W	O	N	V	L	G	D	I	T	H	A
K	F	M	K	K	G	C	B	E	O	P	R	E	H	F
Q	A	J	A	D	R	J	T	Z	L	B	B	V	O	F
S	L	T	U	O	Q	A	V	O	S	T	O	O	L	I
Y	L	A	G	X	L	W	M	Q	R	Z	J	E	M	C

155

G	I	J	K	B	G	E	H	S	I	L	Y	T	S	B
Y	B	G	R	A	N	D	W	B	N	J	Y	R	V	T
P	N	S	M	I	B	P	G	I	U	W	B	A	E	G
R	O	N	F	E	T	C	H	I	N	G	T	M	S	C
E	H	G	O	R	G	E	O	U	S	S	O	S	I	V
S	G	P	N	B	Y	I	Y	L	R	S	O	N	D	G
E	V	E	I	P	K	L	U	L	D	E	E	M	L	T
N	R	R	A	O	J	F	E	N	E	G	P	A	E	N
T	W	S	L	K	I	F	A	M	O	P	M	P	N	A
A	A	O	L	T	A	H	N	T	O	O	A	K	A	I
B	Y	N	U	I	M	F	O	X	R	C	D	H	T	D
L	J	A	R	J	D	H	D	O	W	I	C	L	S	A
E	E	B	I	R	P	G	U	L	S	S	U	U	L	R
B	L	L	N	P	Y	S	E	H	Y	T	T	E	R	P
E	M	E	G	Z	N	B	Y	F	Y	L	E	V	O	L

156

F	L	R	R	L	U	A	H	R	E	V	O	U	L	H
S	V	M	E	L	I	O	R	A	T	E	E	Q	I	R
M	E	E	A	D	D	B	Z	I	W	E	L	I	T	E
N	X	I	S	E	R	V	I	C	E	Q	B	B	D	T
I	S	R	G	J	D	E	E	R	R	B	B	O	F	A
Q	H	E	E	I	E	A	S	E	E	R	O	C	J	V
A	C	V	W	J	R	V	R	S	N	G	C	T	P	O
N	I	A	T	N	I	A	M	N	E	P	F	S	P	N
T	S	Y	R	F	N	G	V	K	W	U	Z	U	M	E
C	N	F	A	E	E	V	A	F	R	T	E	J	A	R
E	T	I	H	M	S	M	O	T	E	R	L	D	V	G
R	J	T	O	C	E	T	T	Y	F	I	L	A	E	H
R	P	C	K	P	T	N	O	Q	I	G	L	F	R	G
O	P	E	Z	D	E	A	D	R	T	H	X	I	F	K
C	R	R	A	W	G	R	P	I	E	T	V	C	K	I

Solutions

157

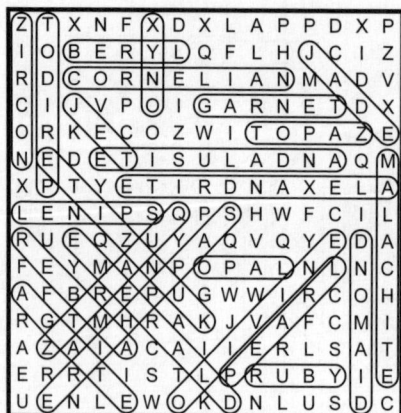

158

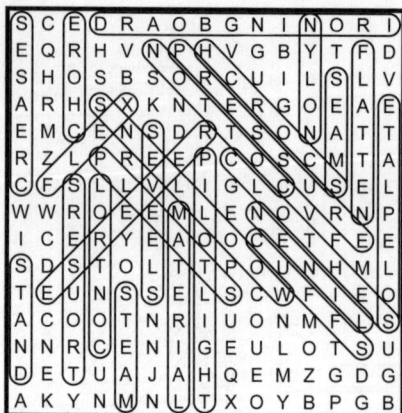

159

160

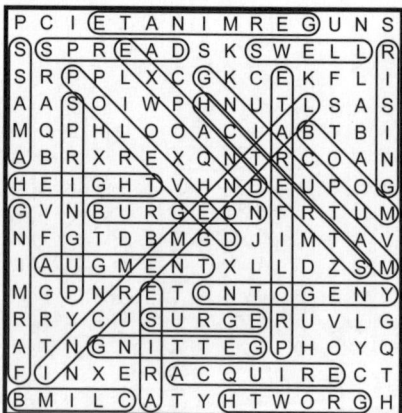

161

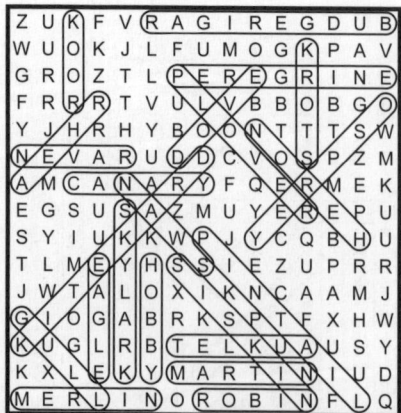

162

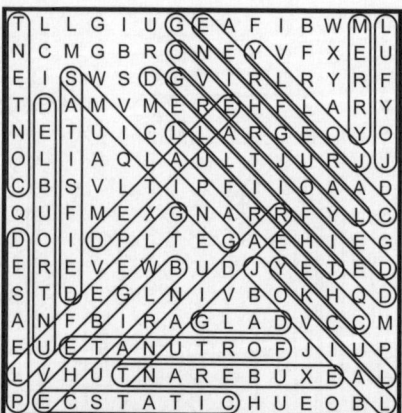

Solutions

163
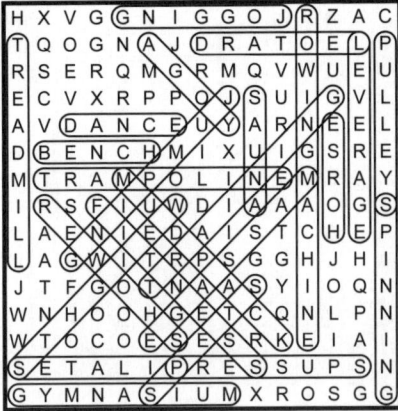

164
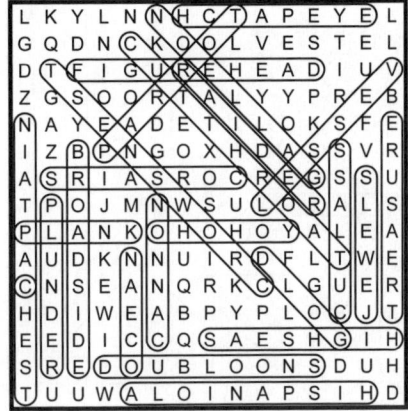

165

166
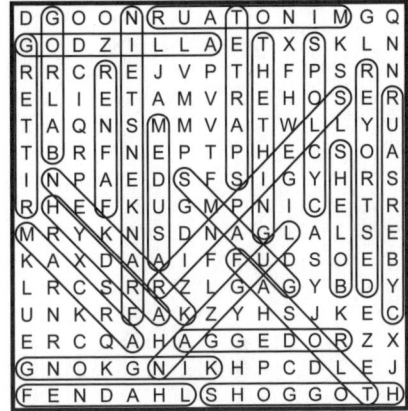

167

168
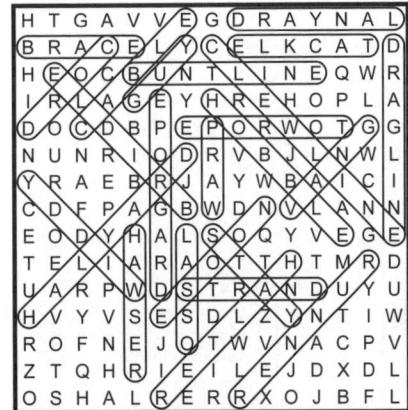

Solutions

169

170

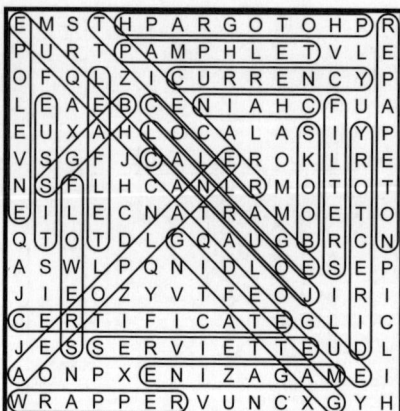

171

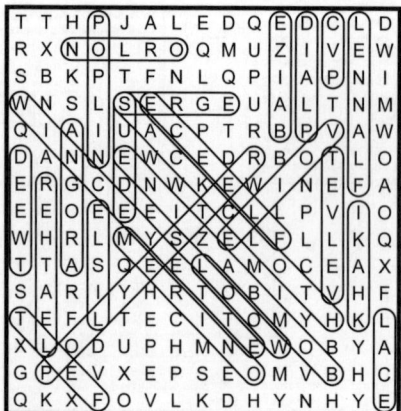

172

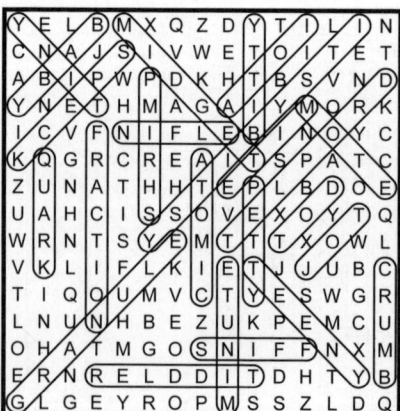

173

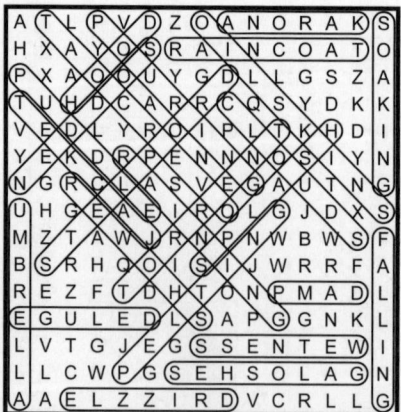

174

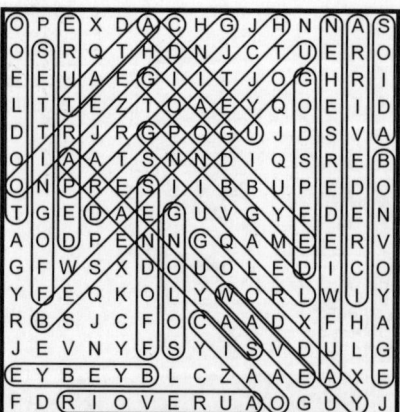